CU0086 3754

Tom und Tina
Die verlorenen Zwillinge

Band 3

Eine Geschichte für Kinder
ab 10 Jahre

von

ELEONORE SCHMITT

© 2017 Eleonore Schmitt

Tom und Tina Bd. 3 – Die verlorenen Zwillinge

Umschlag/Illustration: Eleonore Schmitt

Zeichnungen: Eleonore Schmitt

Verlag und Druck: tredition GmbH, Hamburg

ISBN

Paperback	978-3-7439-3120-6
Hardcover	978-3-7439-3121-3
E-Book	978-3-7439-3122-0

INHALTSVERZEICHNIS

Für meine geliebten Schätze:
Lara, Joas, Jannis, David, Marie, Felix und Lenja.
Ihr seid etwas ganz Besonderes!

1 GERADE NOCH RECHTZEITIG

„Seht ihr die Berge?" Tina beugte sich - so weit es ihr Sicherheitsgurt zuließ - vor und zeigte auf den Horizont. Tatsächlich: Vor ihnen lagen plötzlich die Alpen. Noch erschienen sie wie ein Panoramabild im Hintergrund, das aber zusehends näher rückte.

„Habe ich's euch nicht gesagt: Hinter der nächsten Kurve können wir sie endlich sehen?!" Herr Adkins zwinkerte fröhlich in den Rückspiegel, um seinem Sohn Tom und dessen Freundin Tina zuzulächeln.

„Falls uns nicht wieder ein Stau einen Strich durch die Rechnung macht, haben wir es bald geschafft. In einer halben Stunde sollten wir im Allgäu sein." Frau Adkins griff in ihren Korb und zauberte eine Tupperdose mit Waffeln hervor. „Zur Feier des Augenblicks gibt es was Leckeres! Wer hat Hunger?"

„Am besten gibst du uns gleich die ganze

Dose nach hinten. Mein Magen knurrt schon seit einer Ewigkeit!"

„Wenn die Ewigkeit einmal so kurz ist, dann: au Backe ... doch bevor du an Unterernährung stirbst, greif tüchtig zu. Wer so wächst wie du, braucht jede Menge Futter!"

Damit reichte die Mutter den Kindern die Box.

„Und darf ich ebenfalls Waffeln essen, obwohl ich eher zu den Zwergen zähle?", tat Tina gekränkt. In Wirklichkeit war sie kaum in der Lage, tatsächlich beleidigt zu sein. Ihre Stimmungen änderten sich zwar wie das Wetter im April: Mal heiter-fröhlich, mal wolkig-besorgt - aber eingeschnappt zu sein war ihr so fremd wie die chinesische Schrift.

Genau wie Tom war Tina 12 Jahre alt. Während er allerdings bedächtig und überlegt seine Worte wählte, sprudelten ihre Gedanken nur so aus ihr heraus. Es sei denn, er war gerade am Verhungern, wie eben jetzt. Sie ergänzten sich bestens, was wahrscheinlich der Grund für ihre unverwüstliche Freundschaft war. Gegensätze ziehen sich bekanntlich an wie ein Magnet das Eisen. Verwunderte es da, dass sie die Ferien jeden Sommer gemeinsam verbrachten?

„Hoffentlich kriegt ihr die letzte Seilbahn!", meldete sich wieder Herr Adkins, „sonst müssen wir einen argen Umweg fahren, um euch bei unseren Freunden abzuliefern!"

„Wie war das noch mal, Tom? Euer Bekannter ist Bergbauer und arbeitet im Sommer auf einer Alm?"

Frau Adkins kam ihrem Sohn mit ihrer Antwort zuvor und zeigte auf den Gipfel vor ihnen: „Ja, Ralf trifft euch da oben und nimmt euch anschließend mit seinem Landrover zu seiner Hütte. Mein Mann und ich werden in der Zeit zusehen, dass wir rechtzeitig nach Meran kommen. Morgen fängt unser Fortbildungsseminar an!"

Eine Weile hingen alle ihren Gedanken nach. Schließlich wandte sich Frau Adkins an ihren Mann: „Sollen wir sie nicht lieber auf den Berg begleiten? Hinterher geht noch etwas schief!"

„Mama, wir sind doch keine Babys mehr!"

„Wir schaffen das sowieso nicht." Herr Adkins schüttelte seinen Kopf. „Die Baustelle vorhin hat uns zu viel Zeit gekostet. - Tom, ich rechne damit, dass ihr uns anruft, wenn irgendwas nicht klappen sollte!"

„Klar, ich hab' mein Handy dabei!" Er hielt es in die Höhe, sodass es sein Vater im Rückspiegel sehen konnte. Dieser nickte zufrieden.

Er und sein Sohn verstanden sich prima und er wusste, dass er sich auf ihn verlassen konnte. Äußerlich glichen sie sich immer mehr: Tom war inzwischen so groß wie er und sah sportlich aus. Mit ihrer dunklen Hautfarbe fielen sie überall auf.

Hätte Herr Adkins aber weiterhin nach hinten geschaut (was allerdings reichlich gefährlich gewesen wäre), hätte er an Toms Zuverlässigkeit gezweifelt: Statt sein Smartphone einzustecken, spielte dieser noch etwas damit und legte es schließlich gedankenverloren neben sich auf den Sitz. Dann fragte er: „Wann fährt denn die letzte Bahn?"

„Um 17 Uhr! In 25 Minuten!"

Unruhig rutschten die Kinder auf ihren Plätzen. Wenn sie nur rechtzeitig ankamen! Der Wettlauf mit der Zeit hatte begonnen und versprach, spannend zu werden.

Inzwischen sahen sie die Berge sehr deutlich. Majestätisch erhoben sie sich jenseits der Ebene. Tina konnte sich kaum an der Landschaft sattsehen. Die Intensität der Farben war unglaublich: Der blaue, wolkenlose Himmel und die saftig grünen Wiesen mit den gelben Glockenblumen leuchteten um die Wette. Auf einem azurblauen See segelten weiße Boote.

Doch die Eile schob sich in den Vordergrund und gab der Ferienstimmung einen Dämpfer. Das alles wirkte auf Tina wie fröhliche Musik, die abrupt leise gedreht wurde.

Sie verließen die Schnellstraße.

„Seht mal den Zug! Wer ist schneller: der oder wir?"

„Hoffentlich wir, denn dahinten müssen wir die Gleise überqueren!"

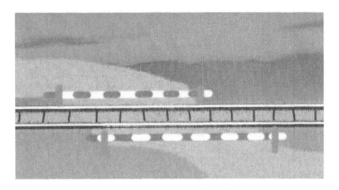

Aber es war zu spät. Vor ihnen senkte sich eine Schranke und verringerte die Hoffnung, noch rechtzeitig an der Seilbahn anzukommen. Der bald vorbeidonnernde Güterzug wollte kein Ende nehmen. Sein regelmäßiges Rattern schien zu höhnen: „Zu spät, zu spät, zu spät ..."

Tina stöhnte über die nicht enden wollende Kette von Containern, die Waggon um Waggon erschienen und wieder verschwanden. Herr

Adkins schaute ungeduldig auf die Uhr.

„Du kannst los!", rief Tom von hinten. Schnell gab sein Vater Gas und das Auto schoss nach vorne.

„Fahr doch vorsichtig! Die Kinder wollen in den Urlaub und nicht ins Krankenhaus!", schimpfte die Mutter mit ihrem Mann.

Endlich kam die Talstation der Seilbahn in Sicht. Zu ihrer Erleichterung gab es genug Parkplätze. Tom und Tina sprangen aus dem Wagen und schulterten ihre Rucksäcke. Herr Adkins nahm ihre Reisetaschen und sprintete zur Kasse. Wie ein gut aufeinander eingespieltes Uhrwerk wusste jeder, was er zu tun hatte.

„Da haben Sie aber noch mal Glück gehabt! Gerade wollten wir schließen!" Die Frau am Schalter löste zwei Fahrkarten. Die Taschen wurden in die Kabine gestellt, ein kurzes Umarmen und schon schloss sich die Tür hinter den Kindern.

„Grüßt Ralf von uns!", rief Herr Adkins. Er

und seine Frau winkten, während die Gondel erst nach vorne und nach hinten schwankte, um dann in Richtung Berghang zu schweben. Wie ein roter Luftballon segelte sie bald an der Steilwand himmelwärts.

„Das war knapp!" Tina setzte sich auf die Bank. Sie war noch nie im Gebirge gewesen, geschweige denn mit einer Seilbahn gefahren. Etwas beunruhigt schaute sie nach unten. Steile Felsen, auf denen ein paar Kiefern wuchsen, fielen schroff ab. Wo die Bäume hier Erde für ihre Wurzeln finden konnten, war Tina schleierhaft. - Wenn nur nicht die Gondel herunterfiel ... Hatte sie nicht in den Nachrichten schon von solchen Unglücksfällen gehört? Sie schauderte, als sie erneut in die wachsende Tiefe blickte.

„Du musst weit gucken, auf den Gipfel da gegenüber, dann bekommst du keine Angst!"

Tom lehnte sich zurück. Sie hatten es geschafft. Nun stand den Ferien nichts mehr im Weg. Ralf wartete sicher bereits oben auf sie. Der

Junge freute sich auf ihn und seine Familie.

„Grete hat bestimmt schon was Herrliches gekocht, wenn wir nachher bei ihr ankommen. Du wirst sehen, ihr werdet euch blendend verstehen! Und der kleine Lukas ist echt drollig."

„Du bist wirklich am Verhungern, was?", neckte Tina ihn.

Doch Tom hatte ihre Unsicherheit gespürt und versuchte sie zu ermutigen.

Die Seilbahn fuhr in die Bergstation ein. Automatisch öffnete sich die Tür. Tom hievte das Gepäck nach draußen. Der Stationswärter kam auf sie zu und starrte sie an, als kämen sie vom Mars: „Was wollt ihr denn noch hier oben? Es ist jetzt nichts mehr los!"

„Wir werden von unserem Freund, einem Almbauern, abgeholt. Der nimmt uns mit!"

Misstrauisch schaute der Mann von Tom zu Tina. „Stimmt das auch? Die Berge sind nachts gefährlich. Es wird stockfinster. Da gibt es keine Laternen! Das könnt ihr Stadtmenschen euch gar nicht vorstellen, wie finster es hier oben wird."

Und zur Bekräftigung seiner Warnung brummte er noch einmal: „Zappenduster wird es. Da bist du wie blind!"

„Sie können ganz beruhigt sein. Wir sind verabredet."

„Gut, ich fahr nämlich jetzt als Letzter runter und nehme euch sonst lieber wieder mit, um euch nicht mutterseelenallein zurückzulassen!" Beim Weggehen murmelte er erneut ein paar mahnende Worte. Es war ihm sichtlich nicht wohl dabei, zwei Heranwachsende hier oben allein zu lassen. Doch er sehnte sich nach seinem Feierabend. Es würde bestimmt alles seine Richtigkeit haben. Schließlich schien der Junge schon recht erwachsen zu sein und würde auf das kleinere Mädchen aufpassen.

Der Mann hätte sich nicht im Traum vorstellen können, dass die beiden Kinder gleich alt waren. Dabei hätte er nur in die Gesichter sehen müssen, um zu bemerken, dass Reife keine Frage von Zentimetern war. Aber wie oft lassen wir Menschen uns von Äußerlichkeiten täuschen?

16

Tom und Tina traten vor das Gebäude. Noch stand die Sonne über den Gipfeln und erwärmte die Felsen. Die Kinder stellten ihre Taschen ab und schauten sich an. Komisch, dass Ralf hier nicht auf sie wartete. Er musste doch wissen, dass sie spätestens jetzt ankommen würden.

„Was meinst du: Wo sollen wir am besten auf ihn warten?"

„Wir gehen mal um die Station herum. Vielleicht finden wir ihn auf der anderen Seite?!"

Sie folgten dem Weg ein Stück runter, um dann ohne Erfolg umzukehren. Zurück an der Ausgangstür setzten sie sich auf einen Felsbrocken. Ein Rabe krächzte, sonst war es ruhig. So eine Stille hatte Tina bislang nie „gehört".

„Unheimlich, so allein auf der Welt! Als gäbe es nur uns. Wie in einem Science-Fiction-Roman: Ausschließlich wir sind nach einem Angriff Außerirdischer übrig geblieben." Tinas Fantasie ließ sie frösteln, obwohl es warm war.

„Wir ruhen uns hier eine halbe Stunde aus.

Wenn Ralf dann immer noch nicht gekommen ist, rufe ich bei unseren Freunden an. Die Nummer habe ich extra gespeichert!"

Sie warfen ein paar Steinchen auf einen abgestorbenen Baumstumpf. Doch bald hörten sie damit auf. Gegen die Hetze von vorhin erschien ihnen das Warten geradezu unnatürlich.

Tom beschlich das gleiche Gefühl, das er oft bei einem Fußballturnier erlebte: Man hatte selbst alles gegeben, war herumgerannt und hatte die Anfeuerung des Trainers noch im Ohr - und dann war es vorbei. Nichts galt mehr als auf der Bank den nächsten Spielen zuzusehen und zu hoffen. Stillstand ohne die Möglichkeit, selbst noch etwas bewirken zu können. Nein, das gefiel ihm nicht.

Die Minuten schlichen im Schneckentempo dahin ...

2   WO BLEIBT RALF?

Nach 15 Minuten fing Tom an, in seiner Reisetasche zu kramen: „Ich ruf jetzt schon an!"

Erst wühlte er nur oberflächlich darin, schließlich durchsuchte er sie systematisch, wie ein Zollbeamter verdächtiges Gepäck inspiziert. „Wohin hab' ich bloß mein Handy gesteckt? Oder habe ich es in den Rucksack getan?"

„Hol einfach alles raus! Dann wirst du es sicher finden!"

Gemeinsam schleppten sie seine Tasche sowie den Rucksack zu einer Holzbank. Dort legte er nacheinander die Kleidung, einen Krimi, seinen Kulturbeutel neben andere mehr oder weniger nützliche Dinge ab, bis die Taschen leer waren.

Um sicherzugehen, dass er nichts übersehen hatte, drehte er die Gepäckstücke um und schüttelte sie kräftig. Und wirklich, im Innern der Reisetasche klapperte etwas und fiel heraus. Nur statt eines Handys segelte ein Taschenspiegel auf den Weg und zersplitterte. Toms Lippen formten ein „Schsch...", aber er beherrschte sich und sprach das Schimpfwort nicht aus. Stattdessen hob er resigniert die Arme.

„Das gibt es doch nicht! Ich muss es doch eingesteckt haben!" Verzweifelt leerte er auch seine Hosentaschen: wieder umsonst.

„Heißt das, dass wir keinen Kontakt zu irgendjemandem aufnehmen können?" Tina kam sich inzwischen tatsächlich wie auf einem einsamen Stern vor, abgeschnitten von jeglicher menschlicher Zivilisation.

„Ich glaube ja. Falls uns nicht irgendeine Lösung einfällt!"

„Vielleicht kommt Ralf ja noch ...", tröstete Tina ihren Freund und gleichzeitig sich selbst. Aber ihre Stimme klang kläglich.

Sie schob mit ihrem Schuh die Glasscherben unter die Bank, damit sich niemand verletzen konnte, und erinnerte sich dabei an ein Sprichwort ihrer Mutter: ,Glück und Glas, wie leicht bricht das!' Hoffentlich entwickelten sich die Ferien nicht zu einer Katastrophe! Dann schüttelte sie den Kopf, als ob sie die negativen Gedanken abwerfen wollte. Warum musste sie immer gleich das Schlimmste denken?

Während Tom seine Sachen zurück in die Taschen stopfte, überlegte er fieberhaft. Auf einmal fielen ihm die Sommerferien vom letzten Jahr ein. Da hatten sie noch viel kniffligere Situationen erlebt: Mit den beiden türkischen Nachbarskindern hatten sie im Wohnwagen Urlaub gemacht und zwei gefährliche Burschen der Polizei ausgeliefert. Trotz mancher ausweglosen Umstände hatte er tiefe Geborgenheit gespürt. Der Grund dafür: Er wusste, dass Gott sein Vater im Himmel war und auf ihn aufpasste.

Bei diesem Gedanken entspannte er sich. Wie bei einem aufgewühlten Meer, das nach einem Sturm zur Ruhe kommt, machte sich tiefer Friede in ihm breit. Das stimmte ja! Gott war hier und heute bei ihnen - genau wie damals!

Prompt konnte er nüchterner nachdenken

und es kam ihm eine Idee: „Während wir mit der Bahn rauf fuhren: Hast du da ebenfalls die Hütte gesehen? Ich glaube, die ist bewohnt. Vielleicht können wir zu ihr hinabsteigen und Hilfe bekommen?"

Als ob die Sonne sie auf die fortgeschrittene Zeit aufmerksam machen wollte, verschwand sie in diesem Augenblick hinter einem Berg. Sofort waren sie in Schatten getaucht und spürten einen kühlen Hauch. Ihnen wurde klar, dass der Abend nahte. Es war ein beunruhigendes Gefühl, weshalb Tina dankbar auf den Vorschlag einging.

„Ja, gute Idee! Wir können Ralf eine Nachricht hinterlassen. Hast du einen Zettel?"

Wieder kramte Tom in seiner Tasche, diesmal mit Erfolg.

„Also ich schreibe: ‚Wir sind in der unten liegenden Hütte. Bitte hol uns da ab. Tom und Tina'"

Tom nahm seine Mitteilung und klemmte sie an seiner Reisetasche in den Reißverschluss ein, sodass sie wie eine Fahne herauslugte.

„Unser Gepäck lassen wir hier stehen. Es kommt sowieso keiner vorbei. Nur den Rucksack nehme ich mit!"

Sie folgten dem Weg abwärts und kamen auf die gegenüberliegende Seite der Station. Dort bogen sie auf einen Pfad ab, der sich durch eine steil abfallende Wiese schlängelte.

„Schau mal nach unten! Vom Tal kann man gar nichts mehr sehen!" Dichter Nebel kroch den Abhang herauf. Wie weiße Watte versteckte er alles unter sich und weitete sich aus.

Die Kinder liefen den Weg hinunter, um noch vor der Wolke die Hütte zu erreichen. Doch der Dunst dehnte sich rascher aus, als sie dachten. Schon bald streckten sich die ersten Nebelschwaden nach dem Holzhaus aus und verbargen es vollkommen. Trotzdem marschierten die beiden weiter. Wie ein Gespenst waberte die Dunstschicht immer höher und kroch ihnen entgegen.

„Mir wird langsam kalt!", jammerte Tina,

aber dann hielt sie inne. „Hörst du das auch?"

Aus einem kleinen Kiefernwäldchen tauchte eine Kuh auf. Ihre Glocke erklang bei jedem Schritt.

„Schau mal, das Rindvieh ist nicht allein. Sie bringt ihre ganze Familie mit!"

Tatsächlich erschienen weitere Rinder und lagerten sich auf dem Gras.

Die ersten Nebelfetzen strichen um die Kinder. Plötzlich umgab sie nur noch Dunst.

„Man sieht ja kaum noch die Hand vor den Augen! Ist das unheimlich!Lass uns nicht weitergehen. Wir verlieren sonst die Richtung."

„Es ist auch viel zu gefährlich - hinterher stürzen wir ab!"

Die beiden setzten sich dicht zusammen auf einen Felsbrocken. Tiefes Schweigen umfing sie. Nur ab und zu läutete eine der Kuhglocken.

„Mir wird einfach zu kalt!" Tina schlang ihre Arme eng um sich. Tom überlegte, dass in der Nacht die Temperaturen um einiges fallen würden.

„Lass uns zu einer der Kühe gehen und uns an sie lehnen. Dann bleiben wir warm."

„Willst du etwa zu den Viechern hin?" Entsetzt richtete sich Tina auf. Na klar, Tom hatte vor Tieren noch nie Angst gehabt! Aber sie dagegen empfand riesigen Respekt vor ihnen.

„Warum nicht? Die sind völlig harmlos; außerdem sind sie Menschen gewöhnt."

„Ohne mich! Stell dir vor, die werden wild!"

„Wir machen doch keinen Stierkampf!", lachte Tom. „Das sind ganz normale Haustiere, die im September wieder in den Stall kommen.

Jedes Kind, das auf einem Bauernhof aufwächst, streichelt sie, melkt sie und hilft mit, sie einzufangen!"

Alles gute Zureden nutzte nichts - Tina weigerte sich standhaft, auch nur einen Schritt näher an die Tiere zu wagen.

Die Feuchtigkeit drang den beiden durch die Kleidung, bis sie vor Kälte zitterten. „So ein Pech, dass wir unsere Reisetaschen stehen gelassen haben. Wenigstens eine Jacke hätte ich anziehen können!" Doch der Weg nach oben hatte sich erfolgreich in der Wolke versteckt. Wo genau sich die Station befand, konnte man nicht mehr ausmachen.

Endlich war Tina überzeugt, dass sie so frierend nicht die Nacht zubringen konnten. Sie wägte ab, was schlimmer war: mit Lungenentzündung die Ferien zu verpassen oder ein Abenteuer mit Tieren zu bestehen? Sie entschied sich, zu den Kühen umzuziehen.

Tom zweifelte, ob seine Freundin wegen

des Frierens zitterte oder eher vor Furcht. Schützend legte er seinen Arm um ihre Schultern. „Wir müssen wegen der schlechten Sicht sowieso langsam gehen. Du wirst sehen, die sind richtig zahm."

Sie gingen in die Richtung, aus der das Geläute kam. Plötzlich sahen sie aus dem Nebel einen braunen Hügel aufragen: Einen Meter vor ihnen lag das erste Rind. Die Kinder hielten an. Tom ließ Tina los und ging noch einen Schritt, um sich dann zu der liegenden Kuh herab zu beugen. Behutsam streichelte er ihr Fell. Sie drehte ihren Kopf zu ihm um und schaute ihn mit großen, erstaunten Augen an.

„Wir nennen sie ‚Lotte'. Schau her, sie ist total brav!"

Er kraulte sie hinter dem Ohr.

„Komm, willst du nicht auch Kontakt zu ihr aufnehmen?"

In Tina tobte ein Kampf. Ihre Angst vor Tieren hinderte sie gründlich, diese Geschöpfe kennenzulernen und sich an ihnen zu erfreuen.

Doch Lotte sah tatsächlich nicht gefährlich aus. Jemand mit solch einem Namen konnte gar nicht bösartig sein, oder? Aber wer wusste denn, wie die Kuh wirklich hieß? Vielleicht ja sogar Shir Khan wie der Tiger im Dschungelbuch?

Ein unangenehmer Windhauch strich über das frierende Mädchen und brachte die Entscheidung: Sie gab sich einen Ruck und machte den ersten Schritt auf Lotte-Shir Khan zu. Vorsichtig fuhr sie mit ihrer Hand an deren Hals entlang. Die Kuh muhte und wandte sich zu ihr um. Damit hatte Tina nicht gerechnet. Als hätte ein Drache sie angegriffen, sprang sie vor Schreck zurück, trat in einen Kuhfladen und rutschte aus. Halt suchend fiel sie zur Seite, direkt auf die Flanke der Kuh. Fast hätte das Mädchen hysterisch aufgeschrien, aber es merkte rechtzeitig, dass das Tier vollkommen ruhig liegen blieb. Die Kuh hatte eindeutig keine Tiger-Natur! Sie muhte einmal kurz, um ihre Rindvieh-Identität zu beweisen, und legte anschließend ihren Kopf nach vorn. Tina lehnte weiterhin regungslos an der gleichen Stelle. Nur langsam entspannte sie sich und schaute Tom an: „Hier ist es schön warm. Setz dich doch auch!"

Belustigt ließ sich Tom nieder: „Meinst du nicht, dass Lotte mich frisst?"

„Red' keinen Quatsch. Du hast wohl Angst vor so einem harmlosen Rindvieh? ‚Jedes Bauernkind streichelt und melkt es und hilft, es einzufangen!'"

Beide mussten lachen. Sie fühlten sich in dem undurchdringlichen Nebel nicht mehr so einsam wie vorher. Nach und nach kamen auch die anderen Kühe näher heran und lagerten sich dicht um sie herum. Jedes Mal kämpfte Tina mit aufsteigender Panik. Sie durchlebte eine echte Mutprobe. Aber nach und nach wurde sie immer gelassener.

Die Rinder verströmten ihren typischen Geruch nach Heu und Mist, wobei Tinas Schuhe nach der unfreiwilligen Rutschpartie nicht besser rochen. Doch die Wärme der Tiere strahlte beruhigend auf die Kinder aus.

Inzwischen herrschte eine solch absolute Stille, wie sie die Kinder noch nie erlebt hatten. Ihre Gedanken machten sich selbständig und folgten noch einmal den Wegen des Tages. Unversehens schliefen beide ein.

3   AUFREGENDER MORGEN

„Hallo - Hallo!"

Irgendwoher hörte Tom eine Männer-
stimme. Gleichzeitig spürte er, wie ihn jemand an
seiner Schulter rüttelte. Schlaftrunken öffnete er
die Augen und blinzelte ins Sonnenlicht. Vor ihm
stand ein Mann, den er erst nur als Silhouette
wahrnahm: Grelles Licht umgab ihn wie einen
Engel. Aber dann erkannte Tom ein rot kariertes
Hemd und eine ausgebeulte, verschlissene Cord-
hose. Das war kein überirdisches Wesen, eher ein
Landstreicher - oder ein Bauer? Wo war er eigentlich?

„Was macht ihr denn hier? Sagt bloß, ihr
habt die ganze Nacht auf der Wiese zugebracht?"

Noch ziemlich benommen schaute Tom sich
um. Langsam kam ihm die Erinnerung. War etwa
die Nacht schon um? Überrascht betrachtete er
seine Umgebung: eine sonnenüberflutete Alm.
An einigen Stellen lugte der blanke Felsboden

hervor, sonst mischten sich in das saftige Gras blaue Vergissmeinnicht, weiße Silberdisteln und sogar ein paar Enzianbüschel. Tom musterte erstaunt diesen farbenprächtigen Wiesenteppich.

„He, du redest wohl nicht mit jedem?"

„O, Entschuldigung! Ich muss mich erst zurechtfinden. Schläft Tina noch?"

Tom wandte sich zur Seite. Tatsächlich lag seine Freundin nach wie vor an Lotte gelehnt und atmete gleichmäßig mit halb geöffnetem Mund.

„Wir sollten uns gestern mit einem Freund meiner Eltern an der Bergstation treffen. Aber er kam nicht; deshalb wollten wir zur Hütte da unten. Nur überraschte uns der Nebel. Und weil wir kaum etwas sehen konnten, haben wir lieber an dieser Stelle übernachtet."

„Mann o Mann, du glaubst ja gar nicht, wie vernünftig das war! Nur 50 Meter weiter ist eine steile Schlucht. Da hättet ihr leicht abstürzen können!"

Der Mann schüttelte den Kopf. Er wollte kaum daran denken, in welcher Gefahr die beiden

Kinder geschwebt hatten.

„Wo ist hier eine Schlucht?" Ungläubig starrte Tom auf die Landschaft um ihn herum, die auf ihn keinen bedrohlichen Eindruck machte - im Gegenteil, auf ihn wirkte sie äußerst friedlich.

„Der Abgrund fängt direkt da neben den Krüppellärchen an - von dieser Stelle aus nicht zu sehen! Es ist eine trügerische Aussicht. Nicht umsonst nennt man diese Alm die „Boandl-Alm"[1]. Ihr wärt nicht die Ersten gewesen, die dort abstürzten!"

Inzwischen regte sich auch Tina. Als sie den Mann so nah vor sich sah, richtete sie sich abrupt auf.

„Ist das Ralf?", fragte sie Tom.

„Nein, der sieht ganz anders aus. Das ist ...“ Frag d blickte er in das bärtige Gesicht.

„Ich heiße Richard und bewirtschafte die H :, zu der ihr wolltet. Am besten kommt ihr r   runter und dann gibt's erst einmal ein ordent-
nes Frühstück!"

Boandl = österreichisch für „Tod"

Ohne eine Antwort abzuwarten, drehte er sich um und marschierte los. „Augenblick noch!", rief Tom ihm nach. „Wir haben unser Gepäck oben an der Station stehen!"

Richard wendete sich um: „Holt es. In der Zwischenzeit wird meine Anna uns was zu Essen machen!"

Kaum hatten sich die Kinder erhoben, schüttelte sich die Kuh und gab ein tiefes, lang gezogenes „Muuh" von sich. Tina erschrak fürchterlich und klammerte sich an Tom. Dieser lachte, bis ihm das Zwerchfell wehtat.

„Die gute Lotte! Hat sich die ganze Zeit kaum gerührt, nur um uns nicht zu wecken. Schau, alle andern Rindviecher sind verschwunden! Und nun wollten wir uns ohne Dank für ihre Fürsorge davonschleichen. Da würde ich auch protestieren!"

Gemeinsam streichelten sie Lottes Fell.

„Vielen Dank für die Wärme!", flüsterte Tina ihr ins Ohr.

„Und für die gemütliche Lehne!" Tom gab

dem Tier einen freundschaftlichen Klaps. „Mach's gut!"

Die beiden trabten den Pfad hinauf. Als sie endlich die Talseite der Station erreicht hatten, bremste Tom plötzlich ab. Tina wäre fast auf ihn gerannt: „He, warum gehst du nicht weiter?"

Ihr Freund hielt einen Zeigefinger vor seine Lippen. Tina wurde still und lauschte. Eine Männerstimme grölte: „Schau dir die Reisetaschen an! Vielleicht finden wir was Brauchbares!"

Die Kinder drückten sich gegen die Mauer und blickten sich an. Instinktiv, wie eine Maus in der Gegenwart einer Katze, wussten sie, dass sie den Fremden nicht begegnen sollten. Sie hörten, wie erst der eine Reißverschluss und anschließend der zweite geöffnet wurde. Leises Gemurmel kam um die Ecke.

„Außer der Schokolade is nix für uns dabei. Scheint so, als gehörten sie zwei Gören!"

„Na, dann ham wir wenigstens wat Süßes zum Frühstück!"

„Haste noch nen Tropfen Bier?"

„Ich glaub', da is nix mehr drin. Rutsch mal nen Stück rüber, sonst hab' ich keinen Platz mehr auf der Bank!"

Tom guckte Tina an und deutete nach vorn. Sie nickte. Hintereinander schlichen sie bis zur Kante. Vorsichtig beugte sich Tom vor. Zu seiner Erleichterung stand direkt hinter der Ecke eine Zwergkiefer. Sie versteckten sich unter ihren dichten Zweigen. Von hier aus hatten sie eine gute Sicht auf die Männer: Zwei kräftige Burschen, unrasiert und ziemlich ungepflegt, saßen auf der Bank neben dem Eingang. Der eine warf gerade achtlos das silberne Schokoladenpapier auf den Boden.

„Biste dir sicher, dass wir den Weg noch finden? Dat is schon so lang her!"

„Der kann ja nich plötzlich weg sein! Irgendeinen Anhaltspunkt wird et schon geben!"

„Ich bin et ja so leid, immer auf Achse zu sein! Wenn wir die Sachen finden, mach ich mir nen schönes Leben!"

„Dat haste früher schon mal gesagt. Un dann haste alles versoffen, hast Fahrerflucht begangen und ein paar Jährchen im Knast gesessen! Dat ich nich lache!"

„Wenn ich noch mal Knete haben sollte, höre ich sofort auf mit dem Alkohol!"

„Ha, dat schaffste sowieso nich!"

„Willste mich ärgern? Ich lass mich von keinem mehr aufhalten! Wer mir diesmal in die Quere kommt, den ..." Der Mann strich mit der Kante seiner rechten Hand an seiner Kehle vorbei. „Auch du wirst mich nich hindern!"

Den Kindern lief es kalt den Rücken herunter. Mit denen war nicht zu spaßen!

Plötzlich sprang der Wortführer auf und ging auf ihren Baum zu.

„Komm, wir verstecken die Reisetaschen da. Die können wir demnächst für unsere Ware gebrauchen!"

„Wohin willste denn die Klamotten werfen, die da drin sind?"

„Da kümmern wir uns später drum. Dat

Grünzeug is ne tolle Höhle. Da findet se keiner!"

„Und wer se hier vergessen hat, sucht se heute. Damit machen wir nur auf uns aufmerksam!"

„Hast recht! Dann lass uns abhauen! Wir ham noch Diverses vor uns!"

Erleichtert sahen die Kinder, wie die beiden an ihnen vorbei torkelten und auf unsicheren Beinen nach unten verschwanden. Nach ein paar Minuten traute sich Tom aus ihrer Baumhöhle. Er schlich vorsichtig einige Schritte den Weg runter. „Die Luft ist rein. Du kannst rauskommen!"

Tina streckte sich. „Denen möchte ich nie wieder begegnen!"

Sie lief zu ihrer Tasche und schaute hinein. „Alles ist total durchwühlt! Schrecklich!" Sie schüttelte sich bei der Vorstellung, dass die ungepflegten Kerle ihre Sachen berührt hatten - als hätten sie diese mit einer Krankheit infizieren können.

Auf einmal fiel ihr Blick auf die Bank. „Schau mal, unser Zettel liegt hier! Den haben die gar nicht beachtet!"

„Komisch, dass Ralf nicht gekommen ist. Das sieht ihm gar nicht ähnlich!"

„Mag sein. Aber wie sollte er bei dem Nebel hierher gelangen?"

„Stimmt auch wieder. Komm, wir gehen jetzt zur Hütte. Mein Magen knurrt bald so laut wie Lottes ‚Muh'!"

Da sie schon viel Zeit verloren hatten, sprangen sie, so schnell sie konnten, den Berg hinunter.

„Tina, der Weg macht hier eine Biegung. Lass uns eine Abkürzung nehmen und runter klettern!"

„O.K, machen wir! Geh du vor, ich reich dir die Taschen!"

Tom stieg von Stein zu Stein. Dann nahm er das Gepäck entgegen. Gerade, als er Tina helfen wollte, rutschte er ab. Dadurch lockerte sich ein Brocken und rollte den Abhang hinab.

„Oh nein!" Tina schlug die Hände vors Gesicht. „Die armen Kühe!"

Auch Tom verfolgte erschrocken, wie das Gesteinsstück auf die Herde zuflog. Doch zum Glück wurde es durch eine umgestürzte Tanne gestoppt.

„Wir bleiben besser auf dem Weg. Stell dir vor, da unten befänden sich Menschen. Die könnten erschlagen werden!"

Vorsichtig kletterten sie auf den Weg zurück.

4   DOPPELGÄNGER

Zehn Minuten später klopften sie an der Hüttentür. Von innen hörten sie ein freundliches „Herein!" Als sie eintraten, empfing sie ein gemütlicher Raum. Ein gedeckter Frühstückstisch hieß die Kinder willkommen. Automatisch musste Tom daran denken, dass sie seit gestern Nachmittag nichts Ordentliches mehr gegessen hatten.

„Kommt nur rein! Mein Mann hat uns bereits von euch erzählt!" Eine kräftig gebaute Frau, die gerade in einem steinernen Waschbecken Eier abschreckte, lachte ihre beiden Besucher fröhlich an. Sie war den Zweien auf Anhieb sympathisch. „Eure Taschen lasst ihr am besten draußen auf der Bank. Da ist mehr Platz."

„Es tut uns leid, dass wir hier so reinschneien."

„Ach, wo, ihr seid gern gesehene Gäste! Im Übrigen", die Frau schmunzelte, „ist der Winter

41

längst vorbei!"

„Wie bitte?" Tom runzelte die Stirn. Auch Tina schaute irritiert, aber dann lachte sie: „Ach so, wegen dem ‚Reinschneien' meinen Sie!"

Aus dem Nachbarzimmer erschienen ein Junge und ein Mädchen, die die Sennerin[1] als Ria und Frank, ihre elf- und zwölfjährigen Kinder, vorstellte.

„Setzt euch doch alle. Und ihr, Tina und Tom, berichtet mal, wieso ihr auf der Weide übernachtet habt." Mit einem Augenzwinkern fügte sie hinzu: „Das tun bei uns nämlich normalerweise nur die Kühe!"

Instinktiv griff Tina den unbekümmerten Ton auf. Sie erzählte von der Herfahrt und der Erleichterung, die letzte Seilbahn noch erreicht zu haben. Dann nahm Tom den Faden auf, indem er ihre Bestürzung beschrieb: Wie sie merkten, dass ihr väterlicher Freund nicht kam, dass sie kein Handy hatten und dass die Nacht sehr ungemütlich zu werden verhieß. Er beendete seinen

---

[1] Bäuerin auf einer Alm

42

Bericht: „Eigentlich möchte ich gerne Ralf anrufen, aber wie gesagt, fehlt mir ein Handy."

„Du kannst unseres nehmen. Schließlich müsst ihr doch wissen, wie es mit euch weitergeht!" Richard ging an die Anrichte und holte das Telefon. Wortlos gab er es Tom. Dieser überlegte kurz, anschließend fingerte er aus seiner Hosentasche einen zerknitterten Zettel. „Mein Vater hat mir die Nummer aufgeschrieben. Zum Glück habe ich sie nicht weggeworfen, nachdem ich sie eingespeichert habe!"

Er wählte und wartete einige Augenblicke, dann hellte sich sein angespanntes Gesicht auf: „Hallo Ralf, hier ist Tom! Wo bist du gestern Abend geblieben? ... Wieso ich frage? Wir waren doch verabredet! ... Im Juli? Nein, die Rede war vom Juni! ... Ach so ... Das ist echt schlecht! ... Wir sind jetzt bei einer Familie ... Nein, aber vielleicht finden wir eine Lösung. Ich rufe dich noch mal an. ... Tschüss!"

Alle Augen blickten den Jungen erwartungsvoll an.

„Ralf und meine Eltern haben gründlich aneinander vorbei geredet. Er dachte, wir kämen im Juli, erst einen Monat später!"

„Und was machen wir nun?", fragte Tina. Bei den Bruchstücken, die sie dem Telefonat entnommen hatte, schwante ihr nichts Gutes. Nach ihrer Einschätzung stand der ganze Urlaub in Gefahr, wie Seifenblasen zu zerplatzen. In ihrer Fantasie schwebten die erträumten Ferien vorüber und zerbarsten: aus der Traum, aus und vorbei. Was wohl ihre Eltern sagen würden, wenn sie wieder bei ihnen auf der Matte stehen und die sechs Wochen zu Hause herumlungern würde?

„Ralfs Frau ist mit dem kleinen Lukas zur Kur und er selbst muss arbeiten. Wir können nicht zu ihm, was ihm sehr leid tut."

„Da bleibt ihr erst mal hier, bis wir was Besseres finden, nicht wahr, Richard?"

Dieser nickte, während seine Kinder strahlten. „Das ist super, zu viert werden die Ferien viel interessanter!"

Tinas Laune besserte sich ein wenig. Viel-

44

leicht gab es doch noch Hoffnung?

„Jetzt will ich aber unsere Oma holen, die wartet bestimmt schon auf mich." Anna stand auf und ging ins Nebenzimmer. Kurz danach erschien sie wieder mit einer alten Frau, welche sich schwer auf ihren Arm und einen Stock stützte.

„Das ist unsere Oma; sie feiert dieses Jahr ihren 98. Geburtstag! - Nanu, Oma, ist dir nicht gut?"

Anna beugte sich zu ihrer Großmutter, die sich auf ihrem Stuhl niedergelassen hatte und keuchend Tina anstarrte.

„Sag', stimmt was nicht mit dir? Du bist so blass!"

Die Greisin hob zitternd ihre Hand und zeigte auf das Mädchen. Dabei öffnete sie ihren Mund, schloss ihn aber gleich wieder. Anschließend wiegte sie den Kopf. Dem Kind wurde ganz mulmig zu Mute. Mochte die alte Frau sie nicht?

„Ich kann auch gehen ...", murmelte sie.

Die Betagte schüttelte erneut ihr Haupt. Sichtlich rang sie um Fassung. Endlich flüsterte sie: „Ruth! Manuela!"

Im Raum war es bedrückend still. Sie wiederholte mit festerer Stimme die Namen: „Ruth! Manuela! Wie oft hab' ich an euch gedacht!" Sie ließ den Kopf hängen und starrte auf ihre gefalteten Hände.

„Oma! Das sind keine Ruth oder Manuela. Die Kinder heißen Tom und Tina!"

„Ja, ja! Aber das Mädel ... diese Ähnlichkeit!"

„Nun setzt euch erst mal alle hin. Wir wollen schließlich nicht verhungern!" Richard drängte die eigenen wie die Gastkinder an den Tisch.

Nachdem sich jeder ein Brot bestrichen und mit Schinken oder Käse belegt hatte, hakte Anna noch einmal bei Oma nach.

„Wem gleicht Tina? Warum hast du dich so erschrocken?"

„Das ist eine böse Geschichte ..."

Oma nahm einen Schluck Kaffee und starrte wieder vor sich hin. Sie schien in eine fremde Welt abgetaucht zu sein, die in einer vergangenen Zeit liegt und zu der keiner mehr außer ihrer Generation Zugang hat. Eine unerreichbare Welt, falls man nicht den Schlüssel dazu erhält und die Tür zu dieser Epoche geöffnet bekommt - zum Beispiel, wenn ein Zeitzeuge sich mitteilt und Einblick gibt.

Die Kinder schauten sich fragend an. Frank bedeutete ihnen, zuzugreifen, woraufhin sie es sich schmecken ließen. War das ein leckeres Frühstück! Die Milch schmeckte viel intensiver als zu Hause, und auch der Käse hatte es den Kids angetan. Tom schnupperte an ihm - und genoss den kräftigen Duft.

Plötzlich seufzte Oma tief auf: „Es ist alles schon so lange her - und doch scheint es mir wie gestern. Es war am Anfang des Zweiten Weltkrie-

ges. Opa und ich waren erst wenige Jahre ver-
heiratet."

Zu Anna gewandt fuhr sie fort: „Dein Onkel
Albert, unser ältester Sohn, war gerade geboren.
Hitler herrschte seit einigen Jahren. Nach außen
hin war es eine prachtvolle Epoche: Überall
hingen die roten Flaggen mit den Hakenkreuzen
an den Häusern. Die jungen Menschen liefen in
ordentlichen Uniformen herum. Die Regierung
gab uns das Gefühl, dass wir Deutschen sehr
wichtig seien.

Aber auf der anderen Seite wurde unsäg-
liches Leid gesät: Die Juden in unserem Land
wurden vertrieben. Flohen sie nicht rechtzeitig,
nahm man sie gefangen und pferchte sie in
Lagern zusammen. Später wurden sie ermordet."

Versonnen nickte die Greisin vor sich hin.
Offensichtlich sah sie wieder die Fahnen, die
Uniformen - und wohl auch die Gruppen der
zusammengetriebenen Juden am Bahnhof. Ein
trauriger Ausdruck legte sich auf ihr Gesicht.
Dennoch fuhr sie fort:

„Aus diesem Grund hatten uns jüdische Freunde ihre gerade dreijährigen Zwillingstöchter anvertraut. Wir versteckten sie. Sie selber wurden kurz danach verhaftet und verschleppt. Wir haben nie wieder etwas von ihnen gehört."

„Das wusste ich ja gar nicht! Waren das Ruth und Manuela, von denen du gesprochen hast?", unterbrach Anna ihre Großmutter.

„Ja, so hießen sie." Oma nippte an ihrer Kaffeetasse.

„Ein paar Monate lief alles recht gut. Unser Hof unten im Tal war groß genug, weshalb die beiden sich frei bewegen konnten, ohne von Fremden gesehen zu werden. Sie besaßen die

gleichen dicken, rotbraunen Haare wie du." Sie zeigte auf Tina. „Auch deine blauen Augen, dein ganzes Gesicht ... nur - du siehst älter aus!"

Tina wurde rot. Ihr war es peinlich, dass die gesamte Tischgesellschaft sie beäugte, als wenn sie ein Ausstellungsstück im Museum wäre.

„Wie ging es weiter?", drängte zum Glück Ria.

„Ruth war die ruhigere. Manuela dagegen war sehr wild. Wegen ihr ängstigten wir uns am meisten, dass sie entdeckt werden könnte. Manchmal büxte sie aus, weil sie nicht immer nur bei uns sein wollte. Sie konnte die Gefahr mit ihrem jungen Verstand kaum einschätzen. Ab und zu lief sie bis zum Wald. War das stets eine Auf-regung!" Dabei verschränkte Oma ihre Finger und hielt sie vor ihrem Kinn gefaltet.

„Einmal mussten wir die ganze Umgebung absuchen. Hatten wir eine Angst, sie könnte in falsche Hände geraten sein! Was meint ihr, wo wir sie fanden?"

„Im Wald?", riet Richard.

Sie schüttelte den Kopf. Die anderen zuckten mit der Schulter.

„Es war Sommer - und sie hatte sich im Kamin versteckt. Dort war sie eingeschlafen. Sie war überhaupt nicht weggelaufen gewesen!"

Oma musste bei dieser Erinnerung unwillkürlich lächeln.

„Manuela hat uns auf Trab gehalten. Trotzdem war sie ein ganz liebenswertes Mädchen, genau wie Ruth."

In Gedanken versunken biss Oma in ihren Toast. Auch ihre Zuhörer bewegten das Erzählte innerlich.

Tina stellte sich die zwei Kleinkinder lustig vor. Bestimmt waren sie oft verwechselt worden. Und mit einem weiteren Baby hatte die damals noch junge Frau zweifellos viel zu tun. Drei kleine Knirpse! Die Mutter musste ihre Augen überall gehabt haben. Flüchtig dachte Tina an einen Dompteur, der seine Löwen genau im Blick hatte. Doch schon drängte sich ein anderer Gedanke in den Vordergrund: Wieso ähnelten die

Mädchen ihr so sehr?

„Oma, was ist aus den Zwillingen geworden?"

Mit trauriger Miene nahm die Großmutter ihren Faden erneut auf:

„Es sah aus, als ob alles gut gehen würde. Durch einen unglücklichen Zufall jedoch hatte ein Nachbar die Mädels bei uns gesehen. Zuerst schien das keinerlei Auswirkungen zu haben. Allerdings wurde der Mann später von Hitlers Leuten so unter Druck gesetzt, dass er uns verriet.

Er war kein schlechter Mensch gewesen, nur die SS - so hieß die Spezialtruppe von Hitler - ging äußerst brutal vor und verbreitete Angst und Schrecken. Manch einer wurde damals aus Furcht zum Verräter und hat das sein Leben lang bereut!"

Die alte Frau musste erst einmal Luft holen. So anhaltendes Reden war sie nicht mehr gewohnt. Sonst hörte sie lieber den Jüngeren zu und bewegte ihre Gedanken für sich. Da brauchte

52

sie weniger Kraft.

Als niemand etwas sagte, sondern alle auf sie warteten, fuhr sie nach einem Schluck Kaffee fort:

„Bei der nächsten Gelegenheit warnte der Mann uns und riet, die Kinder wegzugeben. Aber wem konnten wir sie überlassen? Da gab es niemanden!

An einem Abend kam eine Frau zu uns gelaufen. Sie stürmte in unsere Küche und flüsterte mir ins Ohr: ‚Gleich kommt die SS!' Dann war sie auch schon wieder verschwunden.

Wohin sollten die kleinen Mädchen? Wenn wir erwischt wurden, würden wir selbst ins Gefängnis kommen und die beiden wären in eins der furchtbaren Lager transportiert worden. Und unser Albert - was wäre aus ihm geworden?"

Oma durchlebte erneut die Furcht von damals. Mit weit aufgerissenen Augen saß sie da, während sich die Vergangenheit wie ein Film in ihrer Erinnerung abspulte.

„Die einzige Möglichkeit war diese Hütte

hier auf der Alm. Mein Mann war gerade unterwegs. Ich band mir unseren Sohn auf den Rücken und nahm an jede Hand eins der Mädchen. Schon früher gab es eine Seilbahn, allerdings nur für Lasten wie Milchkannen oder Werkzeuge. Ich setzte mich mit den Kindern auf eine der Pritschen, unser Knecht warf den Motor an und so schwebten wir hier hoch. Hatte ich eine Angst, eins der Kleinen könnte runterfallen! Die ganze Zeit habe ich Gott angefleht, dass nichts Schlimmes passiert. Und wie froh war ich, als wir heil oben ankamen!"

„Du konntest die Mädels retten?"

„Bis dahin, ja. Ich brachte sie in die Hütte und sagte ihnen, dass sie dort bleiben sollten. ‚Einmal schlafen, und wenn die Sonne morgen aufgeht, komme ich zurück!', so prägte ich es ihnen ein und schloss die Tür ab.

Ich musste wieder zum Hof, um die Kühe zu melken. Auch wäre es aufgefallen, falls niemand da gewesen wäre.

Kaum hatte ich unser Haus betreten, kamen

tatsächlich die Soldaten der SS. Sie suchten jeden Winkel ab. Die Kinder hätten keine Chance gehabt!"

„Dann konntest du sie doch retten?"

Die Alte schüttelte leicht den Kopf. Das Weiterreden fiel ihr sichtlich schwer. Sie stockte, fuhr aber dennoch fort:

„Am nächsten Morgen in aller Frühe stieg mein Mann zur Hütte. Schon von weitem sah er ein Fenster offenstehen. Er lief, so schnell er konnte, hin. Die Mädchen waren verschwunden!"

„Wo waren sie denn?"

„Wir suchten mit unseren Knechten die ganze Gegend ab. Dabei wurden wir sogar sehr unvorsichtig und riefen dauernd ihre Namen. Aber außer dem Echo blieb es still."

„Ihr habt keine Ahnung, wo sie geblieben waren?"

„Eine Vermutung. An der Schlucht hinter der Hütte hing im Gestrüpp die Mütze von Manuela. Vielleicht konnte sie es mal wieder nicht im Haus aushalten und war draußen herumgelaufen.

Infolgedessen wird sie abgerutscht sein. Wahrscheinlich hatten sich die Kinder gegenseitig festgehalten und sind gemeinsam abgestürzt. In so einer fremden Umgebung sind sie bestimmt zusammen geblieben. - Allerdings haben wir nie ihre sterblichen Überreste gefunden."

Betretenes Schweigen breitete sich aus, bis Oma den Kopf hob und sagte: „Wie oft habe ich schon bereut, die beiden hier oben allein gelassen zu haben!"

6 OMAS ALTE TRUHE

Richard stand auf. „Tragisch, diese Geschichte! Es tut einem leid um die zwei Kleinen. Aber das ist nun schon über 70 Jahre her - und meine Arbeit wartet jetzt auf mich. Also: Ich muss los! - Tom, du solltest deine Eltern anrufen. Sie müssen wissen, wo ihr seid."

„Wie lange wolltet ihr bei euren Freunden Ferien machen?", erkundigte sich seine Frau.

„Zehn Tage. Soll ich meinen Vater bitten, dass sie uns bald abholen?"

„Och nein, bitte nicht!", bettelte Ria. Sie fand es abwechslungsreich, zwei neue Spielkameraden zu Besuch zu haben.

„Falls ihr nicht lieber nach Hause wollt, könnt ihr gerne hierbleiben. Unsere Kinder haben noch Platz in ihren Zimmern. Außerdem haben sie so weniger Mühe, ihre Ferien unterhaltsam zu gestalten", fügte sie augenzwinkernd in Rias Richtung hinzu.

Tom und Tina fiel ein Stein vom Herzen. Erleichtert blickten sie sich an. Sie hatten sich so auf die Berge gefreut, und es wäre schade gewesen, wenn sie hätten eher abreisen müssen.

Tom rief seine Eltern an. Diese waren ganz schön erschrocken, als sie von dem misslungenen Treffen mit Ralf und der Nacht unter freiem Himmel hörten. Umso mehr beruhigte es sie, dass der Bauer sie aufgenommen hatte. Nachdem sie mit Anna gesprochen hatten, willigten sie ein, dass die beiden bei ihr bleiben durften.

War das eine Freude! Die vier Kids grinsten sich an und sprangen vom Frühstückstisch auf. Als wenn die Sonne heute zum zweiten Mal aufgegangen wäre oder als würde ein unbeschriebenes Heft geöffnet, erfüllte sie das Gefühl eines neuen Anfangs. Frischer Tatendrang trieb sie an, etwas aus ihren Ferien zu machen.

Sofort wurde das Gepäck hinauf in die Zimmer von Frank und Ria geschafft, je eine Matratze hineingelegt und bezogen. In null Komma nichts verwandelte sich die bis dahin herrschende Ordnung in ein fröhliches Durcheinander. Die Kinder störte das kein bisschen - und ihre Mutter ließ sie gewähren. Sie wusste, dass dieser Zustand schnell genug ein Ende fand. Sollten sie ruhig wie in Räuberhöhlen hausen - Hauptsache, sie fühlten sich wohl!

„Kommt, wir zeigen euch das ganze Haus!"

Sie stiegen eine Holzleiter hoch und bestaunten den geräumigen Dachboden. Dort oben hatte Frank eine elektrische Eisenbahn aufgebaut, eingebettet in einer richtigen Landschaft.

„Wow, die ist ja irre! Hast du das alles selbst gebastelt?", wollte Tom wissen.

„Nein, mein Vater hat mir viel geholfen. Und auch die anderen basteln gerne die Modellhäuschen."

„Die fabrizieren wir meistens im Winter, wenn wir unten im Tal auf unserem Hof sind."

„Auf der Alm wohnen wir Kinder nur in den Ferien. Im Sommer versorgt Papa die Kühe auf den Wiesen und bringt die Milch ins Tal. Mama bewirtet die Ausflügler, die hier wandern."

„Auch im Winter haben wir manchmal Gäste; allerdings können die dann nicht wandern."

„Warum denn nicht?", wollte Tina wissen.

Ria lachte. „Die würden im Schnee versinken wie ein Stein im Meer. Die kommen zum Skifahren und versorgen sich selbst."

„Steht euer Hof im Tal denn immer leer, wenn ihr hier seid?"

„Nein, Onkel Albert bewirtschaftet den."

Sie ließen ein paar Züge fahren, bevor sie wieder die Leiter herabstiegen.

„Auf dieser Etage sind die Schlafräume. Im Erdgeschoss liegen die Wohnküche, die ihr bereits kennt, und Omas Zimmer."

„Bei ihr sind wir immer willkommen. Wir schauen mal, was sie jetzt macht. O.K.?"

Die Kinder polterten die Treppe herab und klopften bei Oma an.

„Herein!", rief die freundliche Stimme.

Sie saß vor einer großen Truhe, die uralt sein musste. Wahrscheinlich hatte sie schon ihren eigenen Eltern gehört. Sie sah aus wie eine Schatztruhe aus einem Piratenfilm, mit Eisenbändern und -kanten.

„Ihr kommt gerade rechtzeitig. Ich wollte mal etwas in den alten Sachen suchen, aber ich bin viel zu wackelig, als dass ich mich davor knien könnte. Frank, mach doch mal bitte die Kiste auf!"

Der Junge hob den schweren Eichendeckel an und lehnte ihn nach hinten gegen die Wand. Der Geruch nach Mottenkugeln stieg ihm in die Nase und kitzelte ihn. Prompt musste er niesen. Unterdessen schauten die übrigen bereits neugierig in die Truhe.

„Am besten legt ihr alles eins nach dem andern auf mein Bett."

Als Erstes kam eine Tracht zum Vorschein, wie sie in den Alpendörfern oft getragen wurde. Sie roch nach Lavendel, den Oma vor Jahren zusätzlich gegen die Motten mit in die Kleidung gelegt hatte. Die vertrockneten, ehemals violett blühenden Stängel, rieselten wie Schneeflocken auf den Teppich.

„Waren das für Zeiten, als wir alle mit so was rum liefen!" Oma betastete den gut erhaltenen Stoff. „Ein bisschen umständlich war die Kleidung schon."

Nun kam ein altes Poesiealbum ans Tageslicht.

„Von denen, die damals ihre Sprüche eingetragen haben, lebt kaum noch einer. Manchmal komme ich mir vor wie der letzte Mohikaner!"

„Oma, wer ist der ‚letzte Mohikaner'?" Ria wollte immer alles genau wissen.

„Ach, das war nur ein Buchtitel, den ich zitiert habe. Zu meiner Zeit war der Roman sehr ‚in', wie ihr heute sagen würdet." Oma schmunzelte. Wie viele moderne Ausdrücke hatte sie in ihrem Leben bereits kennengelernt? Die meisten waren wieder verschwunden und durch neue ersetzt worden. In ihrer Jugend favorisierte man eindeutig französische Wörter, seit der Nachkriegszeit eher englische - und morgen vielleicht chinesische?

„He, schaut euch das mal an! Ein Blashorn!" Triumphierend hielt Frank das Musikinstrument in den Händen. Er setzte es an, kriegte aber keinen Ton heraus.

„Du musst die Zähne auseinander nehmen! Ein Horn heißt auch deshalb ‚Blashorn‘, weil man einfach die Luft hineinblasen muss, ohne sich zu verkrampfen."

Oma zeigte ihm, wie er das Kinn halten sollte. Noch einmal versuchte er es, dieses Mal mit Erfolg. Ein ohrenbetäubender Fanfarenstoß erklang. Gleichzeitig öffnete sich die Tür, weil Anna Tee bringen wollte. Vor Schreck zuckte sie zusammen. Dabei bekam das Tablett Schieflage und der Becher rutschte weg. Um Unheil zu verhindern, hob Anna ruckartig die andere Seite an. Dadurch erhielt die Tasse erst recht Schwung. Sie hüpfte herunter, goss ihren Inhalt genau auf die Petunie, die auf einem Pflanzenständer thronte - und blieb akkurat neben der Blume stehen.

Eine Sekunde lang herrschte Stille, dann prusteten alle los.

„Das hast du elegant gemacht! Allerdings hatte ich bereits meine Pflanze begossen!"

„Aber du hast sicher nur Wasser genommen. Dieses Blütenmeer hat einfach mal was anderes verdient!", konterte Anna. „Was macht ihr denn eigentlich hier?"

Sie betrachtete das alte Horn. „Das hat Opa früher immer geblasen, auf dem Schützenfest!" Sie gab es ihrem Sohn zurück und wandte sich wieder an ihre Großmutter. „Suchst du was Bestimmtes?"

„Ich wollte schauen, ob ich noch ein Foto von Ruth und Manuela habe. Wenn, müsste es ziemlich unten sein."

Nun kniete sich auch Anna vor die Truhe und wühlte ein wenig herum.

„Was du für Schätze hast, das hab' ich gar nicht gewusst!"

Sie holte immer mehr Gegenstände hervor und legte sie neben sich auf den Boden.

„Hier ist ein Briefumschlag. Sieh mal, könnten da Fotos drin sein?" Sie gab ihn Oma.

Diese drehte ihn um und las den Absender auf der Rückseite. „Ich glaube, das ist ein Brief von meiner Freundin, der Mutter der Zwillinge ... Den lese ich lieber nachher, wenn ich allein bin."

„Da liegt ein Foto!" Anna angelte eine vergilbte Fotografie heraus. Sie hielt sie ins Licht.

„Das gibt's ja gar nicht!" Verblüffung spiegelte sich auf ihrem Gesicht. Sie reichte den Abzug den anderen. Zwei Mal war Tina zu sehen - nur etwas jünger.

„Ist das ein Wunder, dass du dich vorhin erschrocken hast, als du Tina zum ersten Mal gesehen hast? Das ist kein ‚Doppeltes Lottchen', sondern ein dreifaches!"

Ria blickte ihre Mutter fragend an.

„'Doppeltes Lottchen' war mein Lieblingsbuch, das ..."

Sie konnte ihren Satz nicht zu Ende bringen, weil Ria ihr ins Wort fiel: „Ihr seid wohl die reinsten Leseratten gewesen?"

Unterdessen starrte Tina wie gebannt auf das Bild. Konnte das möglich sein? Träumte sie das alles nur?

„Vielleicht bist du mit Ruth und Manuela verwandt?", fragte Oma. „Falls sie doch noch leben, müssten sie etwa so alt wie deine Großeltern sein."

„Das kann ich mir nicht vorstellen. Wie hießen denn die beiden mit Nachnamen?"

„Gutbrot."

„Nein, den Namen kenne ich nicht. Ebenso weiß ich weder etwas von einer Ruth noch von einer Manuela. Meine Oma heißt Ella, die anderen Großeltern habe ich nie kennengelernt. Sie sind schon früh gestorben."

Nach einer Gedankenpause fügte sie hinzu: „Auch sind wir keine Juden."

„Seltsam ist das. Wahrscheinlich ist alles nur Zufall."

Nicht nur Tina dachte über die ganze Sache nach. Sie berührte sie zutiefst, obwohl sie sich diese Ähnlichkeit nicht erklären konnte.

Frank winkte den Kindern zu, dass sie ihm folgen sollten. Sie verabschiedeten sich von Oma und Anna und liefen nach draußen. Nur Tina kam noch einmal zurück. „Können Sie mir vielleicht das Foto ausborgen? Ich würde es mir gerne etwas länger anschauen."

„Nimm es mit, ich schenke es dir. Ich habe die beiden Kleinen in meinem Herzen - das ist mehr als eine Fotografie!"

Das Mädchen traf die anderen auf der Bank hinter dem Haus an.

„Ich schaffe es nicht, das jetzt abzuhaken und so zu tun, als gäbe es diese Doppelgänger nicht."

„Sollen wir uns ein bisschen umhören? Vielleicht erfahren wir mehr über die Zwillinge."

„Ach, das ist nun schon zu lange her. Über sieben Jahrzehnte! Wer wird sich an damals erinnern können?"

„Wahrscheinlich hat es wirklich wenig Sinn, wenn wir andere Leute nach den Mädchen fragen. Aber wir könnten zur Schlucht gehen und alles noch mal an Ort und Stelle überdenken."

7   FUND IN DER HÖHLE

Frank und Ria gingen voran. Nach hundert Metern kam ein Warnschild: „Vorsicht! Steiler Abhang! Lebensgefahr!" Die Geschwister kannten jeden Tritt. Sie führten ihre neuen Freunde zu einer Stelle, von der aus man gut ins Tal schauen konnte, ohne dabei zu nah an den Rand der Schlucht zu geraten.

„Man kann unheimlich schnell abstürzen, vor allem wenn der Boden feucht ist!"

„Ruth und Manuela waren hier fremd. Die wussten mit Sicherheit nicht Bescheid über solche Gefahren!"

„Ich mag gar nicht daran denken, was damals passiert ist!"

„Wer sagt denn, dass sie wirklich verunglückt sind? Vielleicht ist alles ganz anders gewesen, als Oma es vermutet hat!"

„Das habe ich auch schon überlegt. Irgendwoher muss Tina diese außergewöhnliche Ähnlichkeit haben. So etwas ist bestimmt kein Zufall!"

Tina holte noch einmal das Foto hervor und betrachtete es. Ria blickte ihr über die Schulter und fuhr dann fort: „Womöglich haben die beiden überlebt und sind doch irgendwie mit dir verwandt!"

Während Tina das Bild wieder wegsteckte, verkündete sie: „Wenn das so ist, will ich sie finden!" Sie schaute die Übrigen bittend an: „Helft ihr mir dabei?"

Die drei nickten. „Das wird kompliziert, aber wir werden mit dir zusammen dieses Geheimnis lüften!"

„Das Komische ist, dass wir gar nicht nach kleinen Mädchen suchen, sondern nach älteren Frauen. Das Ganze ist jetzt über 70 Jahre her!"

Versonnen blickten sie ins Tal. Ein paar weiße Wolken schwebten unter ihnen. Das Dorf lag friedlich in der Morgensonne.

„So eine fantastische Umgebung! Da müsste man doch ruhig und ohne Gefahr wohnen können. Doch dann kommt so ein Machthaber wie Hitler daher und vernichtet einfach eine nette Familie, nur weil sie Juden sind!", empörte sich Tom.

„Eine Familie? Ein gesamtes Volk wollte er ausrotten! Beinahe wäre es ihm gelungen!"

„Allein hat er das nicht geschafft. Er hatte genug Helfer."

„Aber manch einer hat auch versucht, den Verfolgten beizustehen! Denk nur an deine Oma oder an die Frau, die sie gewarnt hat. Das war sehr mutig von ihr. Dafür hätte sie selbst in so ein Lager wandern können!"

„Mir tut der Nachbar leid, der gezwungen wurde, die Mädchen zu verraten. Sein ganzes Leben muss er darunter gelitten haben! Genau wie eure Oma hat er sich wahrscheinlich jahrzehntelang Vorwürfe gemacht. Wohin soll man bloß mit solch einer Last?"

„Das würde mich total verrückt machen! Dabei kenne ich Ruth und Manuela nicht einmal. Aber wenn man sie lieb gehabt hat, ist alles noch viel schlimmer!"

„Unsere Oma ist eigentlich immer sehr fröhlich. Ich habe ihr nie angemerkt, dass sie unter einem Kummer leidet. Ist doch seltsam, nach dem, was sie erlebt hat." Ria schaute ihren Bruder an.

„Ich kann mir denken, warum! Weißt du nicht ihr Lieblingslied, was sie fast täglich singt?"

„Na, klar!" Ria fing unbefangen an, das Lied zu singen: „Befiehl du deine Wege und was dein Herze kränkt, …"

„ … der allertreusten Pflege, des, der den Himmel lenkt!" Frank hatte in die Melodie mit eingestimmt. Aber nun stand er auf.

„Sie hat diese Last an Gott abgegeben. Sie trägt sie gar nicht mehr selbst."

Tina fand das faszinierend. Ein Problem einfach abzulegen, wie einen schweren Rucksack – ob das wirklich möglich war? Später wollte sie Oma danach fragen. Das würde ihr selbst sehr helfen, da sie sich oft um vieles sorgte, was sie doch nicht ändern konnte. Um Dinge, die in der

Zukunft lagen. Oder um Menschen, dass ihnen nichts Böses zustieß. Oder ...

„Kommt, wir schauen uns die Umgebung etwas an!" Frank riss sie aus ihren Gedanken. Gemeinsam stiegen sie den Berg hinauf.

„Wenn wir nur wüssten, wie es früher hier ausgesehen hat. Vielleicht gab es Wege, die inzwischen verschwunden sind." Tom beobachtete die Landschaft. „Seht mal da drüben. Da wächst zwar Gras, aber es sieht so aus, als ob sich ein Pfad durch die Felsen schlängeln würde."

Die Kinder folgten mit ihren Blicken seinem Zeigefinger und entdeckten eine Furche im Boden, die sich durch die Wiese wand.

„Tatsächlich, es könnte ein Steig gewesen sein!" Frank zollte seinem Freund Anerkennung. Obwohl er selbst die Gegend wie seine Westentasche kannte, war ihm das noch nie aufgefallen. So etwas nannte man wohl ‚betriebsblind': Weil man alles zu kennen meint, fällt einem manches nicht mehr auf.

„Lasst uns diesen unsichtbaren Weg entlanggehen und sehen, wohin er führt!"

Sie kletterten zu den Felsbrocken. So in unmittelbarer Nähe war der Pfad fast nicht mehr auszumachen. Nur mit Mühe konnten sie ihn verfolgen. „He, Leute, da ist eine Höhle!"

„Hat einer von euch eine Taschenlampe?"

„An meinem Schlüsselanhänger hängt eine. Die dürfte reichen!" Frank betrat als Erster die dunkle Öffnung. Mit seinem Lichtstrahl tastete er die Wände und den Boden ab.

„Sollen wir weiter reingehen?"

„Klar! Wir müssen nur dicht beieinander-bleiben!"

Langsam gingen sie tiefer hinein, aber außer Geröll entdeckten sie nichts. Außerdem roch es muffig, als ob hier nie frische Luft hineingelan-gen würde. Tom fiel der Keller im Hause seines Großvaters ein: Auch da herrschte stets dieser leicht kalt-feuchte Geruch.

„Ich glaube, wir finden nichts, was uns weiterhilft!"

„Lasst uns wenigstens um die eine Biegung schauen. Ist dort ebenfalls ,tote Hose', kehren wir um!"

Sie bogen um die Felswand. Frank suchte die Erde und die gesamten Steinwände ab.

„Nichts!"

„Aber schaut doch!" Ria zeigte auf eine Stelle an der Decke. „Da ist es viel dunkler als überall sonst."

„Hast du gute Augen!"

„Und Beobachtungsgabe!", fügte Tom hinzu.

Alle guckten nach oben. Frank beleuchtete den geschwärzten Bereich.

„Das ist Ruß! Hier wurde irgendwann einmal Feuer gemacht!"

Nun hielt er den Schein der Taschenlampe erneut nach unten. „Es sind bereits zu viele Leute über den Boden gegangen. Da ist nichts zu sehen!"

„Auf jeden Fall hatte die Höhle schon früher Besuch! Vielleicht auch Ruth und Manuela? Leuchte mal mehr in die Felsnischen. Ich will alles genau absuchen!" Tina inspizierte Zentimeter für Zentimeter.

„So kommen wir nie voran! Die Höhle ist zu groß, als dass wir sie millimeterweise untersuchen können. Da sind wir Weihnachten noch beschäftigt!" Tom setzte sich auf einen Vorsprung.

„Ich hab' etwas!"

Tina hielt einen flachen Gegenstand hoch. Im Lichtstrahl erkannten sie ein Medaillon. Die Köpfe eng zusammengesteckt, betrachteten sie neugierig das Schmuckstück.

„Kannst du es öffnen?"

Sie betätigte einen winzigen Druckknopf an der Seite. Schon sprang die Klappe auf.

„Ein Foto! Eine Frau - eine noch sehr junge sogar!"

Sie beugten sich tiefer über das angestrahlte Bild, um es besser betrachten zu können.

„Seht ihr, was ich sehe?", fragte Ria. Tina nickte stumm. Sie war ganz blass geworden, doch das sah keiner ihrer Freunde, da deren Aufmerksamkeit ausschließlich der Aufnahme galt.

Tom brummte: „Die Ähnlichkeit ist ja nicht zu übersehen! Die Frau hat den gleichen Mund wie du, Tina!"

„Auch die Augen und die Nase! Wahnsinnig!"

„Dann gehörte das Medaillon wohl den Zwillingen?!"

„Warum haben es die Leute damals nicht gefunden?" Tina wendete das Schmuckstück in ihrer Hand hin und her.

„Weil sie nach zwei Mädchen gesucht haben und nicht so genau jeden Zentimeter der Nischen untersucht haben wie du!"

Auf einmal fuhren die Kinder zusammen. Ein lautes Klirren hallte als Echo durch die Höhle.

8   ALTE BEKANNTE

„Kannste nich aufpassen?", grölte eine Stimme vom Eingang her. Tom und Tina schauten sich an. Sie fühlten sich wie in einem Film, den sie bereits einmal gesehen hatten. Konnte das sein?

„Nu hab' dich mal nich so. Kann doch jedem passieren!"

„Aber nich jeder is froh, überhaupt nen schluck Bier zu haben!"

„Ach wat, haste doch mitgekriegt, wie einfach dat war! Ein paar unaufmerksame Wanderer und schwups! Schon ham wir zwei Pullen!"

„Wovon eine beinahe kaputt gegangen wäre!"

„Komm, Eddi, lass dat Meckern! Jetzt machen wir erst mal Pause!"

Die Kinder hörten, wie Kronkorken geöffnet wurden. „Prost!" Ein erneutes lautes Klirren verriet das Aneinanderstoßen der Flaschen. Dann war es still.

Wie versteinert standen die vier und wagten kaum zu atmen. Tom bedeutete ihnen, weiter nach hinten in die Höhle zu schleichen. Auf Zehenspitzen gingen sie bis um die nächste Biegung.

„Die kennen wir schon! Das sind ganz üble Burschen!", wisperte Tina. „An denen marschiere ich nicht vorbei! Lasst uns warten, bis die wieder weg sind!"

„Hoffentlich dauert das nicht zu lange!"

„Ich würde zu gerne wissen, was die vorhaben. Als wir sie an der Seilbahn belauscht hatten, sprachen sie davon, irgendwas zu suchen."

Bevor Tina erklären konnte, dass ihr das ziemlich egal sei und sie einfach nur Ruhe vor diesen üblen Kerlen haben wollte, flüsterte Frank zurück:

„Ich geh mit dir näher ran!"

Die beiden Jungen tasteten sich leise vorwärts. Bald konnten sie die Männer erneut hören.

„Dat is schon toll, dat et heute keine

bewachte Grenze mehr zwischen Österreich und Deutschland gibt! So können wir frei auf dem alten Schmugglerpfad herummarschieren und den Sack suchen!"

„Dat du den damals fallen gelassen hass, war mehr als dämlich!"

„Der Weg war so steil - und et hatte so geregnet. Da bin ich eben abgerutscht. Ich musste mich doch festhalten!"

„Und dir trotzdem nen Bein brechen! Und dabei die Ladung loslassen! Hättest de weniger Alkohol im Blut gehabt, wär dat nich passiert!"

„Wie lang is dat jetzt her?"

„15 Jahre - so lange, wie wir gesessen ham. Wird Zeit, dat wir die Ware holen, bevor alles vergammelt is!"

„Und wo schaffen wir sie hin?"

„Na, in diese Höhle, du Döskopp!"

„Eddi, nenn mich nich noch mal so! Sonst mach ich dir ne weiche Birne!"

„Is schon gut! Woher müssen wir denn jetzt gehen?"

„Ich glaub, dat ging hinter der Höhle steil hoch. Ohne Leiter hätten wir dat nich geschafft."

„Mann, dat is wahr. Mal sehen, wie et heute klappt. Haste ausgetrunken?"

„Jawoll! Wo is der Mülleimer?"

„Wie immer - weit weg von uns. Wer schmeißt die Pullen am weitesten?"

Bevor die Jungen wussten, wie ihnen geschah, erfüllte ohrenbetäubendes Scheppern die Höhle, gefolgt vom Gejohle der Männer: Es war, als ob in jeder Nische eine Flasche explodiert wäre, so fegte das Echo durch die Felsengrotte. Als es endlich wieder ruhiger wurde, hörten die Kinder, wie sich schlurfende Schritte entfernten. Dann war es totenstill.

„Au weia, sind das nette Gesellen!" Frank hatte zitternd vor Schreck seine Taschenlampe angeknipst und beleuchtete die Scherben vor ihnen. „Drei Meter weiter, und die hätten uns getroffen!"

„Ich glaube, wir sollten die Mädchen holen. Die haben bestimmt einen Schock bekommen!"

Die zwei waren tatsächlich froh, als der Lichtstrahl um die Ecke bog.

„Was war denn das für ein Lärm? Wir dachten schon, die Höhle würde einstürzen!"

„Die Männer haben nur ihr Müllproblem elegant gelöst."

„Und jetzt sind sie losgezogen, um ihr Geldproblem auch noch zu lösen!"

„Und wie wollen sie das machen?"

„Es gibt hier einen alten Schmugglerpfad. Den wollen sie aufsuchen. Dort haben sie vor Jahren einen Sack verloren!"

„Ein Sack allein wird ihre Finanzsorgen nicht aus der Welt schaffen! Da muss schon was Ordentliches drin sein." Ria überlegte, was für Schätze wohl in diesem Sack enthalten sein könnten. Gold? Diamanten?

Doch Tina schob alles, was mit diesen unheimlichen Männern zusammenhing, weit von sich. Sie wollte mit ihnen nichts, aber auch gar nichts, zu tun haben. Sie sah in ihnen gefährliche Monster, die eine Bedrohung darstellten. Außerdem interessierte sie im Moment weitaus mehr, was aus den Zwillingen geworden war. Deshalb lenkte sie - während ihre Faust das Medaillon fest umschloss - die Aufmerksamkeit der anderen zurück auf ihre eigentliche „Mission".

„Wenn es früher hier einen Schmugglerpfad gab, haben den womöglich auch Ruth und Manuela genommen!"

„Mensch, das ist wahr! Vielleicht können wir ihn ja ebenfalls finden!"

„Sagten die Ganoven irgendetwas, wo der Weg hergeht?"

„Hinter der Höhle soll er steil ansteigen."

„Lasst uns warten, bis die beiden weit genug fort sind. Noch eine Begegnung mit ihnen halte ich nicht aus!"

„Stimmt, das sehe ich auch so. Wir sollten die Zeit dennoch nutzen. Wir gehen runter zu unserer Mutter und fragen, ob wir eine längere Wanderung machen können. Gleichzeitig holen wir uns Verpflegung, denn ohne Futter geht bei mir nicht mehr viel."

Tom nickte. Auch er schob bereits Kohldampf. „Du hast recht, ein bisschen Kraftstoff kann nicht schaden!"

„Also los, marschieren wir zur ‚Tankstelle' nach Hause! Und bis wir wieder hier sind, sind die Halunken bestimmt über alle Berge!"

Sie tasteten sich zum Höhlenausgang. Dort leuchtete die Sonne grell in ihre Gesichter, so dass sie geblendet die Hände vor die Augen halten mussten.

Nachdem sie sich an das Licht gewöhnt und sich vergewissert hatten, dass die Schmuggler fort waren, liefen sie den Hang hinunter. Sie passierten die Schlucht und kamen schließlich atemlos an der Hütte an. Anna stand davor und hängte ein paar frisch gewaschene Jeans auf.

„Mama, wir würden gerne eine längere Wanderung machen!"

„Was heißt denn ‚längere'?"

Die vier schauten sich an. „Wir möchten ein bisschen Pfadfinder spielen und neue Wege suchen. Deshalb wissen wir nicht, wie lange wir fort sein werden!"

„Wollt ihr über Nacht bleiben?"

Verblüfft blickten sich die Kinder an. Hatten sie richtig gehört? Bot ihnen die Mutter an, auch über Nacht fortzubleiben? Diese Chance würde sich ihnen kein zweites Mal bieten, das wussten Frank und Ria sofort. Genauso ahnten die beiden anderen, dass jetzt alles von der passenden Antwort abhing.

„Ist schon möglich."

„Ihr wisst, wie gefährlich es in den Bergen werden kann!"

„Ria und ich kennen uns doch aus! Wir haben schließlich gelernt, wie man sich zu verhalten hat!"

„Ich weiß nicht recht! Gleich muss euer Vater kommen. Ich werde erst mal mit ihm darüber reden!"

Die Kinder sprangen die Treppe hoch zu ihren Zimmern. „Hoffentlich erlaubt er das!"

„Unser Vater ist zwar streng, aber großzügig. Sofern wir ihm versprechen, vorsichtig zu sein, haben wir gute Chancen! Im Grunde genommen sieht er es immer gerne, wenn wir selbständig sind. Und zu viert sind wir bestimmt sicherer als nur zu zweit!"

„Außerdem hat er ja letzte Nacht an euch gesehen, dass ihr euch sogar als Fremde in dieser Bergwelt vernünftig verhalten habt. Das hat ihm unter Garantie imponiert!"

„Den Eindruck hatte ich eigentlich gar nicht.", gestand Tom. Bei ihrer ersten Begegnung mit Richard hatte er eher geglaubt, dass der Bauer ihre Wiesenübernachtung nicht gut gefunden hatte. Aber vielleicht war er auch nur bei dem Gedanken erschrocken gewesen, was ihnen hätte passieren können?

Frank schüttelte den Kopf. Er hatte ebenso wie seine Schwester die heimliche Bewunderung mitbekommen, die ihr Papa Tom und Tina entgegenbrachte. Er, Frank, war fast neidisch geworden. Und nun bot sich seinem Dad die Möglichkeit, auch seinen eigenen Kindern solch eine Verantwortung zu übertragen. Frank wusste, dass sein Vater gerne genauso stolz auf ihn und Ria sein wollte. Und er würde seinen Pa nicht enttäuschen!

Während der Junge über diese Zusammenhänge nachdachte, erwies sich seine Schwester als sehr praktisch: „Ich packe schon mal zusammen, was wir brauchen können."

Jedes der Kinder holte seinen Rucksack und füllte ihn mit einem warmen Pullover, einer Taschenlampe und einer Trinkflasche. In ihre Schlafsäcke rollten sie eine Isomatte und schnallten sie auf ihre Taschen.

„Habt ihr die Tür unten gehört? Vater ist zurück!"

Wie aufgeregte Hühner sprangen sie die Treppe hinab. Anna erklärte ihm bereits den Wunsch der Kids.

„Frank und Ria", Richard sah seine Kinder an, „ihr seid verantwortlich, dass ihr euch alle vier vernünftig und besonnen verhaltet! Ihr kennt euch aus, die andern zwei nicht!" Nun wandte er sich an Tom und Tina: „Und ihr müsst auf die beiden im Zweifelsfall hören!" Wieder an Frank und Ria gerichtet, fuhr er fort: „Außerdem meldet ihr euch morgens und abends. Und natürlich wenn ihr Fragen habt! Ich bin jederzeit übers Handy zu erreichen."

Morgens und abends? Das hieß, dass sie länger unterwegs sein durften. Wow! Welch eine Freiheit! Was für eine Möglichkeit, die Fährte von Ruth und Manuela aufzunehmen! Das hätten sich die Kinder nicht im Traum vorgestellt, dass Richard so weitherzig sein würde!

„Übrigens", er setzte sich auf einen Stuhl und zog seine Stiefel aus, „wenn ihr zwei verwegen aussehende Männer seht, haltet euch von ihnen fern. Ich habe nämlich gehört, dass die hier herumstreunen. Also: Passt auf!"

Bei den letzten Worten hatte Anna bestürzt aufgeschaut: „Ist das nicht doch zu gefährlich?"

Die Kinder zuckten innerlich zusammen: Nicht wegen der Schurken, sondern weil sie sahen, wie ihre neu erlangte Freiheit sich zu verflüchtigen schien wie ein Tropfen Tau in der

Sonne. Wie gewonnen, so zerronnen?

„Ich denke nicht! Ich sage das auch nur zur Vorsicht! Die Berge sind so weitläufig, dass es schon ein arger Zufall wäre, falls sie ausgerechnet diese Männer treffen würden. Die Wahrscheinlichkeit dafür ist fast so gering, als wenn hier der Kaiser von China auftauchen würde."

Die Kinder wagten nicht, sich anzuschauen, um sich nicht zu verraten. Stattdessen wandten sie sich zur Küchenzeile und, während sie sich ein paar Brote schmierten, machten sie Witze über den „Kaiser von China". Sie sangen „Drei Chinesen mit dem Kontrabass" und belegten ihre Schnitten dick mit Salami und Schinken. Anschließend holten sie ihre Rucksäcke und verstauten die leckeren Stullen. Anna steckte jedem noch eine Tafel Schokolade zu.

„Habt ihr euer Handy?", vergewisserte sich Richard. Frank nahm es aus seiner Nebentasche und zeigte es.

„O.K. Dann viel Spaß! Passt auf euch auf!" Richard schüttelte allen die Hand und klopfte

Frank und Ria auf die Schultern. Anna umarmte die vier: „Seid vorsichtig! Und meldet euch rechtzeitig!"

„Und wascht euch die Ohren, putzt euch die Zähne und haltet euch warm!" Frank lachte und ahmte den besorgten Tonfall seiner Mutter nach. „Keine Angst, liebe Mama, wir sind ganz brav!"

Damit stürmten sie nach draußen und den schon bekannten Weg hinauf.

9 DER SCHMUGGLERPFAD

„Hoffentlich sind die beiden Schufte weit weg!"

„Ich möchte denen nicht im Dunkeln begegnen."

„Und ich nicht mal im Hellen!"

„Die machen mit jedem, der ihnen in die Quere kommt, kurzen Prozess!"

„Die wirkten auf mich, als ob sie nicht lange fackeln würden."

Tom machte eine eindeutige Handbewegung, die ein „Halsabschneiden" symbolisieren sollte. Tina nickte. Auch sie schätzte die beiden Ganoven als sehr brutal ein. Sie schüttelte sich, als ob sie diese beängstigenden Gedanken abschütteln wollte wie ein Pudel, der nach einem Wasserbad die Tropfen von seinem Fell schleudert: „Ich mag an sie gar nicht mehr denken. Schaut, da vorne ist die Höhle. Ob wir den Weg finden?"

„Das wird sich bald herausstellen!"

„Es ist toll, dass eure Eltern uns so einen langen Ausflug machen lassen!"

„Vater hat immer gesagt, wenn er uns vertrauen kann, kann er uns auch viel zutrauen ..."

„Das ist echt klasse!"

Die Kinder stiegen die letzten Meter bis zur Höhle hinauf und schauten sich suchend um.

„Wo soll denn hier ein Weg sein?"

„Falls es nur ein versteckter Schmugglerpfad war, wird er nicht gerade auffällig gewesen sein!"

„Vielleicht beginnt er hinter dem Dornengestrüpp? Da würde kein normaler Mensch suchen."

Frank überlegte, wie er jenseits der Sträucher gelangen konnte, ohne sich zu sehr zu kratzen. Lange stachelige Äste ragten in alle Richtungen und versperrten wie beim Dornröschenschloss den Durchgang.

Ria unterbrach seine Gedanken: „Ich gehe auf die andere Seite des Eingangs. Da ist es zwar echt steil, aber möglicherweise gibt es da einen

Weg."

Sie lief an der Höhle vorbei und betrachtete genau den Felsen.

„Wenn ihr eine Räuberleiter macht, kletter ich hinauf. Ich glaube, von dort oben kann man weitergehen."

Die anderen kamen zu ihr.

„Räuberleiter, Schmugglerpfad - wir sind die reinsten Gauner geworden!", schmunzelte Tom. „Aber O.K., versuchen wir es!" Er faltete seine Hände und hielt sie wie einen Steigbügel. Ria stellte ihren linken Fuß hinein und klammerte sich an seine Schultern. Sie wippte ein wenig, um Schwung zu holen. Dann zog sie sich schnell wie ein Äffchen an Tom hoch, griff um die Kante des Felsens und zog sich weiter nach oben. Dabei stieg sie auf seine Schultern und von dort aus schwang sie ihr Bein auf das Plateau. Und schon war sie oben.

„Ich hab's geschafft!" Sie stand wie ein General siegreich auf dem Gestein und schaute sich um. „Das gibt's gar nicht! Ratet mal, was hier liegt?!"

Sie war aufgesprungen und nach hinten gelaufen. Die übrigen Kinder guckten sich an. „He, wo bist du? Wir sehen dich nicht mehr!"

Doch schon erschien Ria wieder und hielt triumphierend eine Strickleiter in die Höhe. „Sie ist nicht gerade neu, vielleicht sogar eher antik, aber sie dürfte halten. Sie hing an einem Ast, ganz ordentlich zusammengelegt!"

„Kannst du ihr Ende irgendwo befestigen?"

„Kein Problem! Sie ist bereits mit einer Kette an dem Baum befestigt! Einen kleinen Moment!" Sie bückte sich und war deshalb für die Untenstehenden nicht mehr zu sehen.

„So, alles klar. Vorsicht, ich werfe sie runter!"

Während die Leiter herunterfiel, entfaltete sie sich. Sie reichte exakt bis zur Erde.

„Ist ja toll! Das war eine Superidee, Ria!"

Einer nach dem andern stieg die Sprossen hoch. Da Tom zusätzlich Rias Tasche schleppte, musste er krampfhaft Balance halten. Zuletzt holten sie die Leiter ein und hingen sie zurück an ihren Platz.

Vor ihnen lag ein Pfad, der sich durch die Felswand schlängelte. Steil führte er bergauf. Immer wieder blieben die vier stehen, um sich den Schweiß von der Stirn zu wischen.

Tina schaute bewusst nicht nach unten, damit ihr nicht schwindelig wurde. Sie kannte sich und ihre Höhenangst und riss sich zusammen. Sie bewunderte ihre Freunde, die scheinbar so leicht mit der zunehmenden Höhe zurechtkamen. In Wirklichkeit aber ging es den anderen ähnlich.

Sie alle konzentrierten sich auf den Anstieg, darauf, keinen verhängnisvollen Fehltritt zu tun. Denn dann würde ihr Abenteuer vorzeitig im Krankenhaus enden.

„Stellt euch vor, ihr habt hier einen schweren Sack zu tragen. Das tut man bestimmt nur, wenn sich das lohnt!", keuchte Tom.

„Demnach muss in dem verlorenen Sack ein echter Wert sein."

„Mich interessiert, was es wohl ist?"

Endlich kamen sie auf dem Grat[1] an. Weiches Moos lud zum Pausieren ein. Stöhnend ließen sie sich nieder und streckten alle Viere von sich. War das anstrengend gewesen! Dagegen war das Training beim Schulsport nichts. Tina nahm sich vor, in Zukunft im Turnunterricht an diese Bergtour zu denken: Vielleicht würde ihr dann das Üben leichter vorkommen?

Nach ein paar Minuten richtete sich Tom auf. „Ich habe inzwischen Hunger wie ein Bär!" Er öffnete seine Tasche und holte das Wurstbrot heraus. Herzhaft biss er hinein. Mmh, geräucherte Salami!

Bei seinem Anblick bekamen auch die anderen Appetit. Jeder kramte seine Stulle hervor. Frank trank seine Flasche mit einem Zug halb leer. Als er sie absetzte, fiel sein Blick ins Tal vor ihnen.

„He, Leute, geht in Deckung!" Instinktiv

---

[1] Die oberste Kante eines Bergrückens (Wikipedia)

duckten sich alle. „Was ist denn los?", flüsterte seine Schwester.

„Da unten sind unsere beiden ‚Freunde'!"

„Wo?"

Die Kinder reckten ihre Köpfe und spähten in die Schlucht hinunter. Sie sahen einen Bach, in dessen steilem Bett Eddi und sein Kumpane kletterten.

„Das ist ja halsbrecherisch, was die da machen!"

„Vielleicht suchen die dort ihren Schatz?"

„Seht ihr weiter unten über dem Bach den Steg? Mann, ist der schmal!"

„Der ist für so schwergewichtige Halunken allerdings zu unsicher."

„Zum Glück haben wir Sommer. Da ist das Wasser nur halb so tief. Bei Schneeschmelze reicht es bestimmt bis fast an die Brücke."

Frank kannte solche Gebirgsbäche: Tosend fielen sie die Felswände herab und rissen alles mit, was sie erwischen konnten. Wen sie ergriffen, dem brachten sie den sicheren Tod.

Doch Naturliebhabern wie Frank offenbaren sie ihre majestätische Schönheit. Wie gut, dass er in den Bergen lebte! Wie fühlte er sich in dieser rauen und zugleich so prächtigen Welt zuhause!

Tom boxte ihn leicht in die Seite und holte ihn in die Gegenwart zurück. „Was machen wir jetzt? Sollen wir warten, bis die beiden verschwunden sind?"

„Wer weiß, wie lange das dauert! Ich würde versuchen, über den Steg zu gelangen, ohne dass sie uns sehen!"

„Dann müssen wir absolut unauffällig links den Berg hinabsteigen. Lasst uns auf jeden Fall im Schatten der Felsblöcke bleiben. Weiter unten sind ja wieder Büsche."

„Ich glaube, das können wir schaffen!" Ria schaute sich mit Kennerblick die Wand an und wog die Möglichkeiten, an ihr herunterzuklettern, ab. Alle nickten. Stumm verzehrten sie die letzten Krümel und verstauten ihr Butterbrotpapier in ihre Rucksäcke.

„Also dann: Lasst uns aufbrechen. Frank, geh du als Erster. Du kennst dich am besten aus. Ich geh zum Schluss, als Nachhut."

„O.K., Hals- und Beinbruch!" Frank hob den rechten Daumen zum Zeichen, dass er einverstanden war.

Tom ließ die anderen vor. Nacheinander kraxelten sie geduckt den Pfad hinab.

10 FLUCHT

Der Hang fiel fast senkrecht ab. Im Schutz einiger Krüppellärchen verschnauften sie.

„Da lobe ich mir unsere ebene Landschaft zu Hause! Da kann man höchstens vom Stuhl fallen. Diese Tiefen hier sind gigantisch!" Tina schaute in die Schlucht.

„Die Hälfte haben wir schon!"

„Du meinst, eine Hälfte liegt noch vor uns?"

„Du Pessimist! Ich freue mich lieber über das, was wir bereits geschafft haben!"

„Du hast recht! Also vorwärts, ihr müden Krieger!"

Erneut tasteten sie mit ihren Füßen jeden Gesteinsbrocken, auf den sie traten, ab, ob er fest verankert war. Mancher gab nach, und sofort zogen sie sich - wie von der Tarantel gestochen - von ihm zurück: Er war gefährlich und außerdem hätte er sie verraten, wenn er ins Tal geflogen wäre!

Endlich erreichten sie den Bach.

„Wo sind die Männer geblieben?"

„Die suchen weiter vorne, jenseits vom Steg!"

„Lasst uns unsere Füße ein bisschen abkühlen!" Tina zog ihre Schuhe und Socken aus. Frank und Ria schauten sich belustigt an. ‚Ein echter Flachlandtiroler', sagte ihr Blick, und: ‚Mal sehen, wie sie das Eiswasser findet!'

„Ui, ist das kalt!", quiekte Tina und zog sofort ihren Fuß wieder aus dem Bach. „Das tut direkt weh!" Noch einmal probierte sie es, nun ganz langsam. „Eine Sekunde erträgt man das. Nicht länger! Aber es erfrischt total!"

Als die anderen ihr strahlendes Gesicht sahen, zogen auch sie ihre Wanderschuhe aus. Vorsichtig stiegen sie in das kühle Nass. Aus Spaß versuchte Tom, seinen Freund zu schubsen. Der ließ sich das nicht gefallen und stellte ihm ein Beinchen. Beide verloren das Gleichgewicht, rutschten aus und fielen protestierend Richtung Wasser. In allerletzter Sekunde konnten sie sich abstützen und sprangen ans Ufer.

„He, seid nicht so laut! Sonst kriegen wir gleich Besuch von Eddi!", zischte Ria. Die Zurechtgewiesenen duckten sich und kicherten leise in sich hinein.

„Mist, meine Hose ist nass geworden!"

„Meine war auch mal trockener. Erfrischung pur. Wollt ihr Mädchen ebenfalls etwas Abkühlung?" Angriffslustig stand Tom am Bachrand, bereit, mit Wasser zu spritzen.

„Untersteh dich!", kreischten die beiden. Doch sofort hielten sie sich den Mund zu: „Wir dürfen nicht so einen Lärm machen. Wir werden sonst entdeckt!"

Sie lauschten, aber außer dem Rauschen der Kiefern und dem Plätschern des Baches war kein Laut zu hören. Sie zogen ihre Strümpfe und Schuhe wieder an und nahmen ihre Rucksäcke auf.

„Jetzt wird's schwierig! Je näher wir an die Schurken herankommen, um so mehr müssen wir aufpassen. Am besten stellen wir das Reden ganz ein!"

Alle zeigten sich einverstanden, da keiner Lust verspürte, den Gaunern in die Hände zu fallen. Sie schlichen im Gänsemarsch am Bachbett entlang. Wie eine Entenmutter ihre Küken anführt, leitete Frank die Gruppe durch das Uferdickicht. Nach zehn Minuten erreichten sie den Steg.

Tom formte mit den Lippen die Frage: „Wo sind die beiden?"

Die vier schauten sich um. Ria zeigte den Bach hinauf. Tatsächlich, dort suchten sie unter jedem Strauch.

Tom wies zur Brücke. Leise schlichen sie zu ihr hin. Leicht war das nicht, da überall Äste herumlagen. Vor dem Steg blieben sie stehen. Dieser war für die Männer gut sichtbar. Die Kinder durften auf keinen Fall deren Aufmerksamkeit erregen!

Tom kniete sich hin und robbte hinüber. Der Übergang bestand lediglich aus zwei langen Holzbohlen und besaß nicht einmal ein Geländer!

Außerdem war er feucht und der Junge bekam zu seiner nassen Hose nun zusätzlich ein klammes Hemd. Er kam sich wie ein Lurch vor, so wie er über das Holz glitschte. Anschließend folgte Tina. Sie versagte sich, nach unten zu sehen, andernfalls wäre ihr schwindelig geworden. Nachdem sie drüben angekommen war, ließ sich Ria auf ihre Knie und rutschte ebenfalls ans andere Ufer.

Jetzt fehlte nur noch Frank. Vorsichtig kroch er Meter für Meter über die Bretter. Der Wind rauschte in den Baumkronen, sonst war es still. Doch plötzlich stießen zwei Elstern kreischend zur Erde hinab - genau in seine Richtung. Automatisch hoben alle ihre Köpfe. Nur Frank blieb geistesgegenwärtig regungslos auf dem Steg liegen. Hoffentlich entdeckten ihn die Männer nicht!

„Wer is denn dat?!"

Eddi zeigte auf Frank, der ängstlich zu ihnen hinschielte.

„Da brat mir doch einer nen Storch! Wo kommst du denn her?", brüllte der zweite Mann.

Frank machte, dass er ans andere Ende kam. Die übrigen Kinder halfen ihm auf die Beine und zusammen rannten sie den Weg hinauf. Sie hörten, wie die Verbrecher fluchten. „Die hab'n wohl unsern Sack gefunden! Nichts wie hinterher!"

Um aus ihrem Blickfeld zu verschwinden, stolperten die vier in das Dickicht hinein. Hinter einem Felsen fanden sie Schutz. Noch immer vernahmen sie das Schimpfen.

Tom spähte aus dem Versteck. „Sie kommen näher!", wisperte er verzweifelt. Die Mädchen kauerten sich aneinander. Er beobachtete, wie die beiden Schmuggler sich Meter für Meter an die Kinder heranarbeiteten.

Noch zehn Meter, und sie mussten sie entdecken!

Doch was war denn das? Direkt unterhalb von Tom reflektierte etwas das Sonnenlicht. Der Junge schaute genauer hin. Das gehörte nicht in den Wald. Mehrere Münzen lagen dort an einem Felsbrocken.

Tom stieß Frank an und zeigte auf seinen Fund. Erst wusste sein Freund nicht, was er meinte. Dann allerdings erkannte er das Geld!

Inzwischen waren die Männer keuchend stehengeblieben.

„Wieso kamste denn darauf, dat die unsern Schatz ham?"

„Warum sollten se sonst weglaufen?"

„Vielleicht ham se auch nur Angst vor uns!"

„Wieso?"

„Na, schau uns doch an! Vertrauenswürdig sehen wir nich gerade aus!"

„Kannst recht ham!"

„Außerdem hätten die nie so schnell mit dem Sack rennen können!"

„Dat stimmt allerdings. Dann lass uns lieber weiter suchen!"

Mit Erleichterung hörten die Kinder, wie die beiden wieder zurückmarschierten. Sie warteten noch eine Weile, bis alles still war.

„Da unten liegt etwas!"

Aufgeregt zeigten die Jungen den Mädchen,

was sie entdeckt hatten.

„Was ist das?"

„Sieht wie Geld aus. Lasst uns mal nach-schauen!"

Sie kletterten ein Stückchen hinunter. Dort stellten sie fest, dass der Felsbrocken gar nicht aus Stein war, sondern ein alter, vergammelter Ledersack.

Tom hob ihn an. „Ist der schwer!" Mit ver-einten Kräften, immer auf Ruhe bedacht, schlepp-ten sie ihn hoch in ihr Versteck. Das gestaltete sich schwieriger als gedacht, da das sich Leder feucht und glitschig anfühlte. Frank holte ein Taschenmesser hervor und versuchte, die Öff-nung, durch die sie die Münzen sehen konnten, zu vergrößern.

Aber so leicht funktionierte das nicht. Nur mit äußerster Anstrengung schaffte er es schließ-lich, den Sack weiter zu öffnen. Langsam zog er die Lederränder auseinander.

„Mach es nicht so spannend!", drängte Ria. Alle vier beugten sich über das alte Gepäckstück und starrten darauf. Nun sahen sie den Inhalt: ein Meer von goldenen Münzen! „Das sind tausende Goldmünzen!", stammelte Frank, griff in die glitzernde Talermenge und ließ ein paar Goldstücke durch seine Finger gleiten, als wäre er Dagobert Duck persönlich.

Eine ganze Weile konnten die Kinder den Blick nicht von ihrem Fund wenden. Dann rührte sich Ria: „Was sollen wir damit machen?"

Ihr Bruder legte die Goldstücke - bis auf fünf - sorgfältig zurück in den Sack. „Ich denke, wir sollten ein paar mitnehmen. Wenn wir in den nächsten Ort kommen, werden wir die Münzen zur Polizei bringen. Anschließend forschen wir wegen Ruth und Manuela weiter nach. In der Zwischenzeit verstecken wir den Schatz hier."

Mit diesem Vorschlag erklärten sich alle einverstanden. Sie suchten Zweige, Kieferzapfen sowie Grasbüschel und tarnten den alten Ledersack, bis er nicht mehr auffiel, sondern sich vollkommen in die Umgebung einfügte.

„Es wird Zeit, dass wir wieder in die Zivilisation kommen, bevor es Abend wird!" Tina dachte an ihre letzte Nacht im Freien und an die beiden Gauner im Tal unter ihnen.

Sie sehnte sich nach Sicherheit - ein Bedürfnis, das sie seit dem plötzlichen Unfall ihrer Mutter vor zwei Jahren nicht mehr verließ. Damals hatte sich ihr Leben von heute auf morgen grundlegend verändert, und dieser Schock saß noch immer tief. Was gäbe sie dafür, wenn sie einen starken Halt fände wie Tom oder wie ihre frühere Freundin Judith. Unabhängig voneinander hatten ihr beide erzählt, dass sie sich geborgen fühlen in dem Wissen, dass Gott ihr Vater ist. Aber wie kam sie selbst dahin, dass Gott auch ihr Vater wurde? Sie wusste es nicht.

Mit diesen Gedanken packte sie wie die anderen ihre Sachen zusammen und kraxelte gemeinsam mit ihnen den Weg bergauf.

Langsam verschwand die Sonne hinter den Bergen. Während die Kids weitermarschierten, forderte die Kletterei der letzten Stunden ihren Tribut. Der Tag war lang und anstrengend gewesen. Endlich erreichten sie ein Hochplateau, von dem aus sie von weitem ein paar Bauernhöfe sehen konnten.

„Lasst uns beim ersten Halt machen und fragen, ob wir vielleicht in der Scheune schlafen können. Außerdem zeigen wir dort das alte Foto. Eventuell erfahren wir mehr über die Zwillinge!"

„Falls die beiden auch diesen Weg genommen haben!"

„Hoffentlich! Sonst sind wir ganz schön auf dem Holzweg."

„Der Holz*steg* über dem Bach vorhin hat mir schon gereicht! Ich bin völlig verdreckt!" Ria schaute an sich herunter. Genauso überprüften die anderen ihre T-Shirts und Hosen, die zwar inzwischen trocken, aber von Moos und Schlamm verschmiert waren.

„Au weia, wir sehen fast so aus wie Eddi und sein Genosse. Ob uns so irgendein Bauer in seiner Scheune übernachten lässt?"

11   DIE POLIZEI IST INTERESSIERT

Sie mussten noch 10 Minuten wandern, ehe sie den ersten Bauernhof erreichten. Der Schweiß perlte von ihren Stirnen. Alle schwiegen erschöpft. Nur Tina stöhnte ab und zu. Sie war das Wandern in den steilen Bergen nicht gewohnt.

„Ich glaube, ich habe mir Blasen gelaufen!"

„Auf dem Hof gibt es bestimmt frisches Wasser. Da kannst du dir deine Füße wieder abkühlen!"

„Das wird uns allen gut tun. Vielleicht haben die auch kalte Milch?", schwärmte Ria.

Als sie um die letzte Wegbiegung kamen, sauste plötzlich ein schwarzer Schatten auf sie zu. Wildes Gebell ließ die Kinder zurückfahren. Tina versteckte sich hinter Tom, der sich gerade aufrichtete, dabei jedoch den hoch gewachsenen Terrier kaum zu beachten schien. Die anderen taten es ihm gleich, obwohl sie ordentlich Respekt vor dem Vierbeiner hatten.

112

Dieser war stehen geblieben und schaute sie aus großen Augen fragend an.

„Sitz!", befahl Tom ihm nun mit tiefer Stimme. Das schwarze Ungetüm gehorchte. Nun hielt Tom ihm vorsichtig seine Hand hin, so dass er daran schnuppern konnte. „Braaav!", mit hellerer Stimme lobte ihn der Junge und kraulte ihn hinter den Ohren.

„Streckt ihm alle eure Hand hin. Der Hund ist völlig ungefährlich. Im Gegenteil: Er ist sogar prima erzogen. Wenn er euren Duft riecht, merkt er sich ihn. Das nächste Mal sieht er uns dann nicht mehr als Fremde an!"

Die Geschwister ließen bereitwillig den Terrier an ihren Händen schnuppern. Tina kostete es eine riesige Überwindung. Aber sie folgte dem Beispiel der anderen - schließlich waren diese ja nicht aufgefressen worden. Noch einmal tätschelte Tom dem Tier den Kopf: „Nun zeig uns mal, wo du herkommst!"

Augenblicklich sprang der Hund auf und lief zum Haus. An der Tür blieb er schwanzwedelnd stehen. Bevor die Kinder herangekommen waren, trat ein stattlicher junger Mann heraus.

„Das habe ich noch nie erlebt!", begrüßte er die vier. „Dass Jacko Unbekannte in den Hof lässt, gibt es normalerweise nicht!" Er reichte jedem die Hand. „Ihr müsst einen außerordentlich günstigen Eindruck auf ihn gemacht haben. Oder ist jemand von euch etwa ein Raubtierdompteur?"

Tina zeigte auf Tom: „Das wird bestimmt einmal sein Beruf!"

Der Mann lud sie ein, sich draußen auf die Bank an dem Holztisch niederzulassen.

„Wo kommt ihr her? Hier taucht selten jemand auf."

Tom erzählte ihre Geschichte. Als er die kleinen Zwillinge erwähnte, holte Tina das Foto aus der Tasche. Der Bauer studierte es eingehend.

„Das sagt mir nichts. Ich habe auch nie gehört, dass hier früher zwei Mädchen eine Rolle gespielt hätten." Er legte das Bild auf den Tisch.

Nun berichtete Frank weiter. Er zeigte die Goldmünzen. „In dem Sack liegen tausende sol-

114

cher Geldstücke!"

Der Mann griff sich eine und untersuchte sie genau. „Ich glaube, wir sollten die Polizei hinzuziehen!"

Er stand auf. „Mein Cousin arbeitet unten in der Stadt bei der Kripo. Ihn rufe ich an."

Er verschwand im Haus. Die Kinder streckten wohlig ihre Beine aus.

„Je schneller die Polizisten den Halunken auf die Spur kommen, umso lieber ist mir das!" Tina sprach die Gedanken der anderen aus. Sie saßen in der untergehenden Sonne und blinzelten zu den fernen Berggipfeln. Ein herrliches Panorama breitete sich vor ihnen aus. Keiner wagte mehr, etwas zu sagen. Jeder spürte die Größe dieser grandiosen Umgebung.

„Grüßt Gott! Mein Sohn sagte mir, dass wir Besuch haben?" Eine freundliche, rundliche Frau riss sie aus ihren Träumereien.

„Ich habe euch eine Brotzeit hergerichtet. Ihr habt sicher Hunger!"

Einen flüchtigen Moment blieb ihr Blick bei

Tina hängen. Ihre Augen weiteten sich unmerklich, als ob sie sich fragte: ‚Kann das sein?!'
Dann schüttelte sie kaum sichtbar den Kopf, als wollte sie sich selbst eine Antwort geben, und stellte kräftiges Roggenbrot, Butter, Käse und Schinken auf den Tisch.

„Langt gut zu! Wir haben genug! Trinkt ihr frische Kuhmilch?" Die Kinder nickten begeistert und ließen sich nicht ein zweites Mal auffordern, ordentlich zuzugreifen. Nach den Strapazen des Nachmittags waren sie völlig ausgehungert.

„Tut das gut!" Frank biss herzhaft in seine Stulle.

„Wo wollt ihr eigentlich übernachten?", fragte die Bäuerin. „Wir haben viel Platz in der Scheune. Wenn ihr wollt, könnt ihr hier bleiben!"

Erfreut und erleichtert zugleich gingen die Kinder auf diesen Vorschlag ein. Plötzlich schreckte Frank zusammen: „Ich muss meine Eltern anrufen! Das habe ich ganz vergessen!"

Er sprang auf und lief etwas abseits. Kurz danach kam er zurück. „Alles O.K. - Schaut mal da unten, da kommt ein Streifenwagen!"

Tatsächlich fuhr ein blau-weißer Audi die Serpentinen zu dem Hof hinauf. Inzwischen erschien auch der junge Mann wieder draußen. Bald begrüßte er den Polizisten und machte ihn mit den Kindern bekannt. Erneut sollten sie ihre Geschichte mit den Halunken erzählen. Den Ort, wo der Sack lag, musste Frank genauestens beschreiben.

„Ich schicke gleich eine Streife los. Die werden sich um den Fund kümmern und gleichzeitig nach den Schmugglern Ausschau halten. Ich glaube, mit denen ist nicht zu spaßen. Seht zu, dass ihr denen nicht noch mal zu nahe kommt!"

Er telefonierte und verabschiedete sich dann.

Die Bäuerin deckte den Tisch ab. Dabei fiel ihr Blick auf das Foto von Ruth und Manuela. Sie stockte und setzte vor Schreck das Geschirr wieder ab.

„Woher ist das Bild?", stammelte sie und nahm es hoch. Sie betrachtete es lange Zeit, während die Kinder sie beobachteten.

Als sie endlich aufschaute, hatte sie Tränen in den Augen.

„Es sind Verwandte von dir, stimmt's?" Sie schaute Tina an.

„Das weiß ich eben nicht und würde es doch zu gerne herausfinden!" Sie erzählte nun auch der Frau, weshalb sie unterwegs waren.

12 EIN WEITERER PUZZLESTEIN

Inzwischen hatte sich die Bäuerin zu ihnen gesetzt.

„Das waren damals verrückte Zeiten. Sogar auf kleine Kinder hatte man es abgesehen. Ich war etwa vierzehn Jahre alt. Eines Abends kam ein Wanderer vorbei. Er hatte die Mädels unterwegs gefunden. Sie waren ganz durcheinander und konnten uns nicht sagen, woher sie kamen. Nur ihre Namen kannten sie. Wie waren die noch gleich?" Die rundliche Bauersfrau bedeckte ihre Augen, um sich zu konzentrieren. „Ja, genau, ich hab's! Ella nannte sich die eine; die andere, die stillere, hieß Ruth."

Die Kinder schauten sich irritiert an. „Kann es nicht sein, das das erste Mädchen Manuela hieß?", fragte Tina verunsichert. Einige Zeit dachte die Frau nach. Dann hellte sich ihre Miene auf. „Natürlich. Immer, wenn Ruth ärgerlich auf sie war, nannte sie sie ‚Manuela'. Aber das war höchst selten. Sonst wurde sie immer Ella gerufen."

Tina sprang auf: „Jetzt passt alles langsam zusammen! Meine Oma heißt Ella! Sie sind damals nicht verunglückt!"

Alle schauten sich an. Aufgeregt redeten sie durcheinander. Die Bäuerin putzte sich die Nase. Gerührt flüsterte sie: „Hätte das meine Mutter noch erlebt! Sie hat sich so oft gefragt, was wohl aus den beiden geworden ist?"

Nun wurden die Kinder wieder ruhiger.

„Offensichtlich haben sie den Krieg überlebt - zumindest Manuela. Uns fehlen aber immer noch ein paar Puzzleteile, besonders, was aus Ruth geworden ist." Tom blickte die Frau fragend an. Er und die andern brannten darauf zu erfahren, wie es mit den Mädchen weitergegangen war.

Die Angeredete dachte nach. Keiner der Kinder rührte sich, um nicht ihre Erinnerung zu stören.

„Die beiden waren einige Monate bei uns.

Erst haben wir nachgeforscht, zu wem sie wohl gehören könnten. Doch alles Nachfragen blieb ergebnislos. Schließlich gab uns ein Freund den Tipp, dass wir nicht bei offiziellen Stellen forschen sollten. Die Kleinen hatten so dunkles, dichtes Haar, - so wie deines!", unterbrach sich die Bäuerin selbst und zeigte auf Tina. Dabei schüttelte sie staunend den Kopf. „Unser Freund meinte, es könnten auch jüdische Kinder sein. Wenn sie als solche identifiziert würden, wäre ihr Tod beschlossene Sache gewesen. Das hat uns aufgeschreckt. Ab sofort gaben wir sie als meine Cousinen aus, die aus der Stadt evakuiert worden waren. Keiner schöpfte Verdacht - so glaubten wir."

Die Frau hatte noch rötere Wangen bekommen, als sie von Natur aus hatte. Wie zwei reife Äpfelchen leuchteten sie aus dem freundlichen Gesicht. Sie lächelte die vier an:

„Bin ich froh, dass diese Zeiten schon lange vorbei sind! Ich fand es zwar toll, so drollige Mädchen bei uns zu haben. Aber meine Eltern wurden immer angespannter. Sie wussten, in welche Gefahr uns dieser Besuch brachte. Sobald ein Polizist oder einer von der SS in unsere Nähe kam, herrschte pure Angst."

Die Bäuerin stand auf. „Ich muss uns noch was zu trinken holen!" Schnell verschwand sie im Haus.

Ria schaute die anderen an: „Ich glaube, die Erinnerung nimmt sie sehr mit. Wahrscheinlich können wir uns gar nicht vorstellen, wie schlimm das damals war!"

„Immer damit zu rechnen, dass eine riskante Wahrheit ans Licht kommt!"

„Vor allem wussten sie ja selbst nicht, ob und welche Gefahr bestand. Sie lebten in völliger Ungewissheit!"

Unbemerkt war ihre Gastgeberin wieder herausgekommen. „Was die Sache noch erschwerte: Wir gewannen die beiden sehr lieb!"

Mit einem Krug aus Steingut füllte sie frischen Apfelsaft in die Becher. „Oft habe ich mit meiner Mutter über sie geredet. Sie warnte mich und sagte, dass wir die Kinder nicht immer bei uns behalten könnten. Davon wollte ich nichts wissen. Ich hängte mein Herz an sie. Doch eines Tages musste ich einsehen, dass wir sie loslassen mussten - um ihrer eigenen Sicherheit willen."

Für einige Augenblicke starrte die Erzählerin vor sich hin. Frank nahm einen großen Schluck von dem Saft. Schließlich schaute die Frau wieder auf:

„Wir hatten Nachbarn, die stets sehr nett waren. Gegenseitig halfen wir uns aus, erst recht, als die Nahrungsvorräte weniger wurden. Auffällig war nur, dass sie so besonderes Interesse an den Mädchen hatten. Anfangs hielt meine Mutter es für Anteilnahme. Aber meinem Vater kam es immer seltsamer vor, warum sie sich nach jeder winzigsten Kleinigkeit erkundigten. Dazu kam, dass öfters im Dorf jemand von der SS abgeholt wurde, der nur im privaten Bereich etwas gegen die Nazis gesagt hatte. Wir hegten bald den Verdacht, dass unsere Nachbarn Spitzel waren."

„Wie schrecklich, wenn man sich nicht vertrauen kann!"

„Allerdings! Bei allen Äußerungen mussten wir uns in Acht nehmen. Ein normales Gespräch war gar nicht mehr möglich!"

„Hatten Ihnen die Nachbarn eigentlich geglaubt, dass Ruth und Ella Verwandte von Ihnen waren?", wollte Tina wissen.

„Ich glaube nicht. Sie hatten ja mitgekriegt, wie wir anfangs Nachforschungen über deren Herkunft angestellt hatten. Natürlich mussten sie Zweifel haben. Aber ebenso ahnten andere im Dorf, dass da etwas nicht stimmte. Es wurde einfach schweigend hingenommen."

„Wer nicht zu viel weiß, kann auch nicht haftbar gemacht werden!", meinte Tom.

„Genau! Nach diesem Motto versuchten wir alle zu leben! Nur unsere direkten Nachbarn hielten sich nicht daran. Und das war auffällig! Eines Tages kam ihr 18jähriger Sohn zu uns gerannt.

Er kam geradewegs in die Küche. ‚Wo ist deine Mutter?', fragte er mich atemlos. Doch die war gerade mit den Mädchen im Wald, um Brombeeren zu pflücken. Ganz in der Nähe von dem Nachbarshof.

,Die Kinder müssen sofort weg! Mein Vater hat Besuch von der SS. Die fahnden nach zwei kleinen Zwillingsmädchen - wahrscheinlich sind sie jüdischer Abstammung. Ich habe das Gespräch zufällig mit angehört. Geh und such deine Mutter. Sie soll erst gar nicht zurück nach Hause kommen, sondern die Mädels schnellstens in Sicherheit bringen!'

Mit diesen Worten verschwand er wieder. Er war ein tapferer junger Mann: Er hatte sich gegen seine eigenen Eltern gestellt, die uns und die Kleinen verraten hatten!"

Tom überlegte, wie schwer diesem Jugend-lichen das gefallen sein musste! Was waren das für Zeiten gewesen, wo es mitunter nötig war, gegen seinen Vater und seine Mutter zu handeln!

Er wurde aus seinen Gedanken gerissen, als die Frau fortfuhr: „Ich ließ alles stehen und liegen und rannte in den Wald. Ich wusste, wo die Brombeersträucher standen. Doch da war meine

Mutter nicht. Erst wollte ich laut rufen, aber dann besann ich mich anders. Wie leicht konnte ich die Falschen auf mich aufmerksam machen.

Übrigens habe ich in dieser Situation zum ersten Mal selbst erlebt, wie klug Gott uns führen kann!"

„Wie meinen Sie das?", rutschte es Tina heraus. Inzwischen war sie brennend an allem interessiert, was mit Gott zusammenhing. Nicht nur die Uroma von Frank und Ria hatte ihr imponiert, wie sie mit ihrem Leben zurechtgekommen war. Auch ihre Freundin Judith, mit der sie ein Jahr im Internat zusammen verbracht hatte, lebte so, als wäre Jesus sichtbar bei ihr. Darum war sie so mutig und gelassen gewesen, selbst, als es echt gefährlich wurde.

„Wie haben Sie das erlebt?", wiederholte sie ihre Frage.

„In meiner Not, dass ich meine Mutter nicht fand, betete ich: ‚Bitte lass meine Mama mit den Zwillingen nicht nach Hause gehen. Bewahr sie vor der SS!'"

Ich selber kehrte wieder heim. Innerlich hatte ich plötzlich eine tiefe Ruhe. Ich wusste, dass Gott mächtiger als jede SS-Macht war. Ich harrte eine Weile aus, mir kam es wie Stunden vor, aber meine Mutter kam nicht zurück. Normalerweise hätte ich mir große Sorgen gemacht; doch irgendwie hatte ich das Wissen: Es wird alles gut!"

Sie nahm einen Schluck von ihrem Saft, während die Kinder gespannt darauf warteten, wie die Geschichte weiterging.

„Meine Mutter hatte einen anderen Weg nach Hause gewählt. Etwa zur gleichen Zeit, als ich gebetet hatte, bekam sie die Idee, bei den Nachbarn vorbei zu schauen. Wegen der Mädchen war sie schon lange nicht mehr dort gewesen. Aber sie wollte wieder mal die kranke Oma besuchen und ihr von den Brombeeren etwas mitbringen. Auf dem Weg dorthin überholte sie der Nachbarssohn. Er warnte sie: ‚Sie laufen direkt in die Arme der SS. Machen Sie, dass Sie wegkommen!'"

Die Bäuerin schüttelte den Kopf. „Wenn meine Mutter den weiten Weg nach Hause gegangen wäre und dann erst die Kinder weggebracht hätte, wäre es sicher zu spät gewesen. So hatte sie einen zeitlichen Vorsprung.

Als ich etwa eine halbe Stunde daheim gewartet hatte, kam unser Nachbar mit zwei Männern in der typischen schwarzen Uniform der SS. Sie wollten wissen, wo die Mädchen sind. Glücklicherweise wusste ich das ja selber nicht! Nach einer Weile merkten sie, dass ich wirklich keine Ahnung hatte. Sie kehrten um, kamen aber am Spätnachmittag wieder. Da kapierten sie, dass meine Mutter offensichtlich geflohen war. Dass ich sie nicht gewarnt hatte, war ihnen klar, denn sie hatten die ganze Zeit unser Haus beschatten lassen. Davon hatte ich gar nichts bemerkt!"

„Und wo war Ihre Mutter hingegangen?", wollte Frank wissen.

„Sie war sofort zum Bahnhof gelaufen, den es hier damals noch glücklicherweise gab, und hatte die Zwillinge zu ihrer Freundin in die

128

Schweiz gebracht. Sie kam erst mitten in der Nacht zurück. Die SS-Leute holten sie am nächsten Morgen, um sie zu verhören. Doch da ihr keiner nachweisen konnte, dass wir geahnt hatten, dass die Kinder Juden waren, wurde sie wieder freigelassen. Und in der Schweiz hatten die Nazis keine Macht. Die Mädchen waren gerettet! Gott hatte sie und uns bewahrt."

„Wissen Sie, was aus den beiden bei Ihrer Bekannten geworden ist?"

„Leider nein. Damals nahmen die Möglichkeiten, ins Ausland zu fahren, immer mehr ab. Telefon hatten wir auch noch nicht. Erst nach dem Krieg fuhren wir dorthin. Da waren die Gasteltern der Zwillinge unglücklicherweise schon gestorben. Keiner konnte uns sagen, wohin die Mädchen gekommen waren."

Nachdenklich saßen die Kinder am Tisch. Inzwischen hatte sich der Himmel rot gefärbt. Letzte Sonnenstrahlen tauchten die Berge in warmes Licht. Aber von diesem Alpenglühen nahmen sie nichts wahr. Ihre Gedanken kreisten um die Zwillinge. Wo waren sie geblieben?

„Wir sollten ihre Spur in der Schweiz aufnehmen. Vielleicht ist sie doch noch zu finden!"

„Ich glaube, das hat keinen Sinn. Wir haben damals alle Nachbarn gefragt. Keiner wusste etwas."

Die Bauersfrau stand auf. „Es wird Zeit für mich zum Schlafengehen. Morgen beginnt die Arbeit zeitig. Obwohl ich bestimmt kein Auge zumachen kann! Kommt mit, ich zeige euch, wo ihr euch hinlegen könnt!"

Sie führte die Kinder zur Scheune. Dort lagen ein paar Decken. Nachdem sie ihnen auch die Wasserpumpe hinter dem Gebäude vorgeführt hatte, zog sie sich zurück.

Die vier machten es sich im Stroh gemütlich. „Wir sollten trotzdem in die Schweiz fahren. Wie sonst können wir herausbekommen, wo die Schwestern geblieben sind?"

Da waren sie sich einig. Am nächsten Tag wollten sie mit dem Zug über die Grenze zu dem Ort fahren, wo sich die Spur der Kleinen verlor.

In der Stille, die nun aufkam, fielen ihnen nach und nach die Augen zu und sie schliefen tief und fest ein.

13   VERFAHREN UND DOCH RICHTIG?

Am nächsten Morgen, während des leckeren und herzhaften Frühstücks erkundigten sich die Kinder, wie sie zum Bahnhof und in die Schweiz gelangen konnten.

„Wollt ihr wirklich die Suche nach den Zwillingen dort weiterführen?", zweifelte die Bäuerin. Tina erklärte, dass sie sonst keinen Frieden mehr über dieser Sache bekommen würde: „Ich bin mir sicher, dass die beiden mit mir verwandt sind! Ich muss sie einfach finden!"

Der Abschied von der Frau fiel sehr herzlich aus.

„Falls ihr irgendetwas über die Zwillinge erfahrt - lasst es mich wissen! - Adé, ihr vier!"

Sie stiegen in den Unimog des Sohnes und winkten, bis nach der ersten Kurve die freundliche Dame ihren Blicken entschwand. Dann machten sie es sich bequem.

„Puh, ich hoffe, dass Ihr Kleinlaster nicht

schlapp macht!", stöhnte Tom in Richtung Fahrer und hielt sich den Bauch. „Ich habe von den Spiegeleiern und dem Speck so viel gefuttert, dass ich mich kaum noch rühren kann!"

„Und du glaubst, dass der Unimog euer Gewicht nicht die Steigungen hochschleppen kann?", lachte der junge Mann.

Auch Tina hatte es super geschmeckt, allerdings hatte die Spannung um die Suche nach den Zwillingen ihren Appetit gedrosselt. Sie wollte möglichst wenig Zeit beim Essen verlieren und hatte die anderen gedrängt, aufzubrechen. Sonst wäre Tom gar nicht mehr zu bremsen gewesen, was seine Verzehrlaune anging. Trotz des reichhaltigen Abendessens schien er über Nacht völlig ausgehungert zu sein, als ob er einen Marathon gelaufen wäre. Wer weiß, was er im Traum alles geleistet hatte?!

Eine Viertelstunde später setzte sie der junge Mann ab.

„Da sind wir. Wenn ihr euch sputet, bekommt ihr noch den Zug um 10 Uhr 42! Vergesst nicht, rechtzeitig umzusteigen!"

„Vielen Dank für alles! Wir werden es schon schaffen!"

Sie liefen in die Bahnhofsvorhalle, schauten nach, auf welchem Gleis sie einsteigen mussten und kauften ihre Fahrkarten.

„Der Zug fährt gleich, beeilt euch!", rief Ria.

Sie rannten die Treppe zum Bahnsteig hoch und sprangen in den Zug.

„Gerade noch geschafft! Mann, das war knapp!" Tina wischte sich den Schweiß von der Stirn.

Sie suchten sich Plätze in einem leeren Abteil. Draußen zog die herrliche Berglandschaft wie in einem Film vorbei. Frank fingerte sein Handy aus der Tasche. „Ich muss ein Lebenszeichen an meine Eltern schicken!" Per SMS funkte er ihnen, dass alles in Ordnung sei. Kurz danach piepte sein Gerät: Seine Mutter hatte geantwortet.

„Ich soll euch alle grüßen!" Damit steckte er sein Handy zurück.

134

Tina schaute auf ihre Fußspitzen, als ob sie dort eine außergewöhnliche Entdeckung gemacht hätte. „Ich bin gespannt, ob wir etwas erreichen! Es scheint mir doch inzwischen klar zu sein, dass Ella bzw. Manuela meine Oma ist." Sie schaute auf und sah die anderen fragend an.

„Aber was ist aus ihrer Schwester geworden? Da haben wir keinen blassen Schimmer!"

Sie diskutierten, wie sie in der Schweiz weiter vorgehen wollten. Tom vertrat die Überzeugung, dass sie in dem Dorf von Haus zu Haus gehen und nachfragen sollten.

Plötzlich rief Frank: „Wir müssen hier umsteigen!" Alle schauten aus dem Fenster. Tatsächlich stand der Zug inzwischen auf einem Bahnhof. Das Schild wies den Ort aus, wo sie die Bahn in Richtung Schweiz wechseln mussten. Geistesgegenwärtig griffen sie ihre Taschen. Aber in diesem Moment ruckte es und die Eisenbahn fuhr an.

„Zu spät!" Tina ließ sich resigniert auf ihren

135

Sitz fallen. Sie fühlte sich frustriert, weil sich ihr Vorhaben so kompliziert gestaltete.

Frank spürte die Enttäuschung seiner Kameradin und übernahm deshalb das Kommando: „Wir steigen an der nächsten Station aus und fahren zurück! Noch ist nicht aller Tage Abend!"

„Dann lasst uns schon mal zur Tür starten, damit wir dieses Mal rechtzeitig sind!" Die im wahrsten Sinne des Wortes ‚verfahrene' Situation verdross Tina nicht nur, sondern verunsicherte sie auch.

Ria beruhigte sie: „Es fahren immer wieder Züge zurück! Und die Suche nach den Zwillingen läuft uns nicht davon. Nach 75 Jahren kommt es jetzt auf eine Stunde mehr oder weniger auch nicht an."

„Allerdings fährt die Bahn nur ein paar Mal am Tag", gab ihr Bruder zu bedenken.

Jeder ergriff seinen Rucksack. Im Gänsemarsch schoben sie sich durch den Gang: zuerst die beiden Mädchen, zuletzt Tom. Plötzlich stieß dieser einen leisen Pfiff aus. Die anderen drehten

136

sich zu ihm um.

„Was ist los? Spielst du jetzt Lokomotive?",
wollte Frank wissen.

„Quatsch! Habt ihr nicht gesehen, wer in
dem Abteil neben unserem sitzt?"

„Nein, mach es nicht so spannend!"

„Da hocken unsere Schmuggler!"

„Sag, dass das nicht wahr ist!", entsetzte
sich Tina.

„Doch! Ganz eindeutig!"

Frank drängte sich an Tom vorbei und
spähte vorsichtig durch das Abteilfenster.

„Tatsächlich!" Er wandte sich seinen Freunden zu. „Die scheinen zu pennen. Jedenfalls
liegen sie mehr, als dass sie sitzen, und haben die
Augen geschlossen. Ich glaube, die schlafen ihren
Rausch aus, so wie sie schnarchen. Das klingt, als
ob sie einen ganzen Wald absägten!"

Die vier horchten mit angehaltenem Atem –
und tatsächlich vernahmen sie nun das „Sägen"
der zwei Männer selbst durch die geschlossene
Abteiltür.

„Schade, dass die Polizei sie gestern offensichtlich nicht gefunden hat!"

„Ich will denen nicht in die Finger geraten." Tina guckte ängstlich von einem zum anderen, „Was machen wir, wenn die auch an der nächsten Station aussteigen wollen? Dann entdecken die uns doch sofort!"

„Stimmt. Vielleicht sollten wir uns nicht an diesem Ausgang hinstellen."

So zogen sie weiter bis in den übernächsten Waggon.

„Am besten benachrichtigen wir den Zugführer, damit der die Polizei holt." Tom schaute sich um, ob er nicht irgendwo den Schaffner sehen konnte. Doch in diesem Augenblick bremste der Zug ab.

„Lasst uns erst aussteigen und dann Hilfe holen!"

Auf dem Bahnsteig brauchten sie nicht lange zu suchen, bis sie den Stationsvorsteher gefunden hatten. Wie ein Zinnsoldat stand er auf dem Bahnsteig und blickte gedankenverloren geradeaus. Die Kinder wiesen ihn auf die Verbrecher hin. Doch der Mann schaute sie gelangweilt an, so, als ob er solch eine Nachricht jeden Tag bekam. „Ja, ja, ist schon gut.", brummte er.

Die Kinder zuckten mit der Schulter und zogen weiter.

„Der machte ja nicht gerade einen begeisterten Eindruck!"

„Ich glaube, den hat das herzlich wenig interessiert, dass Schmuggler in dem Zug sitzen."

„Wahrscheinlich glaubt er, dass wir ihn verulken. Wo gibt es schließlich heute mitten in Europa noch Schmuggler? Für ihn ist das so ungewöhnlich, als hätten wir ihm ein paar Aliens gemeldet!"

„Der hat sicher viel zu viel Stress, um sich auch noch um zwei Außerirdische zu kümmern!"

„Na, Stress hatte der nicht gerade! Eher war der völlig in seinen Tagträumen weggebeamt!"

„Wenn wir nicht selbst Stress bekommen wollen, dann lasst uns nachschauen, wann der nächste Anschlusszug fährt."

Die vier suchten die Fahrplantafel und stellten fest, dass sie noch eine halbe Stunde Zeit hatten.

„Was machen wir denn jetzt?"

„Gibt es draußen vielleicht einen Bäcker, wo man eine Laugenstange kaufen kann?", fragte Tom.

Tina schaute ihn an: Das konnte doch nicht wahr sein, dass ihr Freund schon wieder Hunger verspürte! Doch Frank stimmte ihm begeistert zu: „Gute Idee! Darauf habe ich auch Appetit."

Er marschierte sofort in Richtung Ausgang. Die anderen ließen sich nicht lumpen und überholten ihn bald, so dass an der Glastür ein kleiner Tumult entstand: Vier Heranwachsende passten einfach nicht gleichzeitig hindurch. Lachend gaben die Mädchen nach. „Die Jungen haben tatsächlich ihre Manieren vergessen!", stellten sie fest, „wie war das noch? ‚Ladies first'?"

Auf dem Bahnhofsvorplatz fanden sie einen Stand, der Backwaren verkaufte. Jeder holte sich eine Brezel, dann setzten sie sich auf eine Bank und genossen sie in der warmen Sonne. Bis Tina plötzlich ganz aufgeregt mit dem Finger auf die gegenüberliegende Straßenseite zeigte und mit vollem Mund ausrief:

„Buck mal ba brüben!"

Sie deutete auf ein Kaufhaus. Die anderen starrten sie an und mussten sich vor Lachen biegen. „Buck mal ba brüben!", riefen sie johlend. Aber da wurde Tina wütend: „Es ist ernst! Hört endlich auf und schaut da drüben hin!"

Die anderen bemühten sich, ohne zu lachen in die angegebene Richtung zu gucken, allerdings entdeckten sie außer dem Gebäude und dem Verkehr davor nichts.

Enttäuscht ließ das Mädchen den Arm sinken. „Jetzt ist es zu spät. Da war meine Oma!"

„Deine Oma? Die ist doch zu Hause!", zweifelte Tom.

„Aber sie ging gerade durch die Glastür!", versicherte Tina ihm.

„Das wird eine Frau gewesen sein, die ihr ähnlich sieht."

„Oder die Zwillingsschwester deiner Großmutter!", sinnierte Ria.

Die Kinder schauten sich an.

„Dann sollten wir allerdings keine Zeit verlieren und sie einholen!" Frank winkte den anderen, mit ins Kaufhaus zu laufen.

„Stopp. Das bringt uns nichts, wenn wir alle
zusammen da rein stürmen.", bremste Tom die
anderen aus. „Wir müssen uns aufteilen."

„Und in der Zwischenzeit verlässt sie
wieder das Haus!", gab Tina zu bedenken.

„Mist, wir wissen nicht mal, wie viele Ausgänge das Gebäude hat."

„Lasst uns einfach nach ihr schauen, sonst
verlieren wir sie völlig aus den Augen!", mahnte
Tina wieder, die begierig war, diese Frau zu treffen.

Also rannten die Kinder los und betraten
das Kaufhaus. Am Eingang blieb Tom stehen, um
dort Ausschau zu halten. Er kannte die Oma
seiner Freundin und wusste, wie sie aussah. Die
anderen erkundigten sich, wie viele Ausgänge es

noch gab.

„O, wir haben nur diesen einen offiziellen Zugang. So groß ist unser Haus nicht!", gab ihnen eine Verkäuferin Auskunft.

Erleichtert suchten sie jede Abteilung ab. Doch ohne Erfolg.

„Vielleicht steht Tom schon mit ihr an der Tür und wartet auf uns!", hoffte Ria.

Als sie ihn erblickten, lehnte er alleine neben der Glastür.

Die vier schauten sich an und zuckten mit der Schulter.

„Wahrscheinlich hast du dich verguckt!", meinte Frank.

„Wir sind so gefangen in unseren Gedanken, da kann das leicht vorkommen", pflichtete ihm Ria bei.

Tina stierte vor sich hin. Sie wusste, was sie gesehen hatte. Wie ein Foto sah sie das Bild noch vor sich: Sie erkannte eindeutig das Gesicht und die Gestalt ihrer Oma Ella. Aber diese war nicht aufzufinden, das musste sie zugeben. Also, was nutzte es, weiter hier herumzustehen?

Tom schlug vor, sich um die Zugfahrt zu kümmern.

Tröstend legte Ria einen Arm um Tina: „Wir werden schon alles aufklären! Hab' nur Geduld!"

Also schlenderten sie zum Bahnhof zurück.

Bald darauf fuhr ihr Zug ein. Sie stiegen ein, stellten sich innen an die Tür und schauten hinaus. Das Schienenfahrzeug setzte sich langsam in Bewegung und rollte aus der Station. Eine Schranke sperrte die Straße ab, die sie überquerten. Autos und Fahrradfahrer warteten davor, ebenso ein paar Passanten.

„Da!"

Tina schrie, als ob sie einen Zehner im Lotto gewonnen hätte. Sie zeigte auf eine Frau mit einem blauen Kleid. Gemächlich bewegte sich der Waggon an ihr vorbei. Tom blickte angestrengt in die Richtung des ausgestreckten Zeigefingers. Im letzten Moment erkannte er sie.

„Tatsächlich! Es gibt sie wirklich!"

„Hab' ich euch doch gesagt! Das kann nur die Schwester meiner Oma sein!"

„Jetzt sitzen wir ja wieder in der falschen Richtung im Zug!", stöhnte Ria und rollte mit den Augen.

„Das wird langsam teuer, jedes Mal eine neue Fahrkarte zu lösen!"

„Vielleicht finden wir eine andere Mitfahrgelegenheit?!", überlegte Tom.

Tina war das alles egal, Hauptsache, sie fanden die Dame und konnten sie nach ihrer Herkunft befragen.

An der nächsten Station stiegen die vier wieder aus. Sie wanderten durch die kleine Innenstadt und kamen bald am Ortsausgang an.

„Lasst uns hier warten, bis uns jemand mitnimmt!"

Die Sonne stand inzwischen hoch am Himmel und heizte die Luft ordentlich auf. Kein Baum wuchs in der Nähe, nur Felder und ein paar vereinzelte Häuser bestimmten das Bild.

„Das ist ja nicht zum Aushalten!", stöhnte Tina. Sie wischte sich die Stirn und schaute sich suchend um. „Gibt es keinen schattigen Platz, wo wir auf eine Mitfahrgelegenheit warten können?"

Wie auf ein Stichwort hin erklang in der Ferne der Lärm eines Motors, der stetig anschwoll.

„Das ist bloß ein Traktor. Da passen wir nicht drauf!", interpretierte Tom fachmännisch das Geräusch.

„Aber einer mit Anhänger, das könnte klappen!"

Frank zeigte zwischen die letzten Häuser, durch die sich ein Trecker schob. Auf seinem Hänger war Stroh geladen - vielleicht gab es noch Platz für sie?

Als der Bauer bei ihnen ankam, hielt er mit laufendem Motor an. „Wo wollt ihr denn hin?", schrie er gegen den Lärm an.

Frank war herangetreten und rief zurück:

„Nur bis zum nächsten Ort. Können Sie uns mitnehmen?"

„Dann seht mal zu, dass ihr in dem Heu unterkommt!" Er zeigte nach hinten. Die Kinder ließen sich das nicht zweimal sagen. Schnell kletterten sie hoch und setzten sich mitten ins Stroh. Der Mann nickte ihnen zu und gab wieder Gas. So tuckerten sie zwischen den Feldern her. Obwohl die Sonne noch immer unbarmherzig auf sie schien, stieg ihre Laune beträchtlich. Der seichte Fahrtwind erfrischte sie und schon fingen sie an, sich gegenseitig mit den Halmen zu kitzeln und zu necken.

14 DIE ERSTE RUTH

„Zu wem wollt ihr denn?"

Nachdem der Bauer angehalten hatte, sprangen die Kinder vom Wagen herunter.

„Wir, ähm, wir sind auf der Suche nach einer Frau mit dem Namen Ruth." Tom schaute ihn fragend an. Vielleicht kannte der freundliche Mann jemanden, der so hieß?!

„Da haben wir mehrere. Heusers Ruth, oder die von Wimmers. Wartet mal, ja, auch die Mutter von Jakobis heißt so."

„Die wir suchen, ist etwa 75 Jahre alt."

„Das könnte tatsächlich Frau Jakobi sein, aber genauso Oma Heuser. Ja, richtig, da gibt es noch die Bäuerin vom Fraisinger Hof, die heißt, glaube ich, ebenfalls Ruth!"

„Welche wohnt denn am nächsten?", wollte Tina wissen.

„Schaut mal im dritten Hof von hier nach, da lebt Oma Heuser. Die freut sich bestimmt über einen Besuch!"

Die vier winkten ihm zu.

„Vielen Dank fürs Mitnehmen!"

Der Bauer legte den ersten Gang ein und tippte sich freundlich an die Kappe. Dann ratterte er davon.

Die Kinder strichen sich die letzten Strohhalme von den Hosen.

„Auf, dann wollen wir mal!" Frank schritt kräftig aus. Die andern eilten ihm hinterher.

„Jetzt wird's spannend! Vielleicht treffen wir nun meine Großtante!"

„Kann schon sein, allerdings freu dich nicht zu früh!"

Tina tänzelte vor Aufregung hin und her.

Kurz darauf hielt sie sich die Nase zu. „Puh, hier stinkt es aber!" Tatsächlich wurde ein strenger Geruch immer penetranter. Als sie zur Toreinfahrt kamen, erblickten sie einen Mann, der gerade den Mist auf die Ladefläche seines Unimogs gabelte. Die Luft war erfüllt von dem scharfen Geruch. Der Bauer sah die Gesichter mit den gekräuselten Nasen und lachte.

„Ihr seid wohl nur Parfüm gewöhnt! Doch das hier gehört genauso zum Leben!"

Frank nickte. Fremd war ihm das nicht.

„Ist Frau Heuser zu Hause?"

„Und ob! Wo soll die sonst sein? Geht nur rein, sie freut sich über jeden Besuch!"

Die Kinder schauten sich an. Warum wurde immer betont, dass die Frau sich über Gäste freute?

„Geht einfach rein, sie sitzt normalerweise in der Küche."

Er nickte ihnen aufmunternd zu.

Tom ging auf die Tür zu, klopfte an und öffnete sie. Kühle Luft strömte heraus. Die anderen drängten nach, aber seine Augen mussten sich erst an das Halbdunkel hier drinnen gewöhnen.

Unsicher traten sie vollends ein. Nun sahen sie Frau Heuser. Aus einem Rollstuhl blickte sie ihnen entgegen. Entzückt klatschte sie in ihre Hände und rief: „Wie schön, ich kriege Besuch!"

Frank trat auf sie zu und gab ihr die Hand.

„Wir suchen eine Frau, die Ruth heißt!", sagte er.

„Was wollt ihr buchen?", fragte die Frau recht laut zurück.

Die Kinder starrten sich an. Erstens war das bestimmt nicht die Ruth, nach der sie forschten, zweitens war diese Frau schwerhörig!

Tom ergriff nun das Wort. Ganz langsam und deutlich rief er:

„Wir suchen eine Ruth!"

„Ach so, ihr sucht ein Gut! Wollt ihr es kaufen?"

Verzweifelt guckte Tom die andern an. Da rief die alte Dame weiter: „Nehmt Platz, dann können wir uns etwas unterhalten. Du da", sie zeigte auf Ria, „geh mal an die Anrichte, da steht noch Kuchen. Die Teller sind im Schrank!"

Wieder wies sie in eine Richtung.

Ria gehorchte und holte den Kuchen und das Geschirr.

„Was ist, wollt ihr Wurzeln schlagen? Setzt euch hin und greift zu!"

Die Kinder befolgten ihre Anweisungen und nahmen jeder ein Stück von dem Marmorkuchen.

„Der schmeckt aber lecker!", lobte ihn Ria.

„Ihr kommt mit dem Trecker?", fragte die Alte wieder mit kräftiger Stimme.

„Nein - ja, ein Bauer hat uns mitgenommen!" Tina hatte nun das Wort ergriffen und laut und deutlich geantwortet. Sie fand die Frau sehr nett, auch wenn diese so gut wie nichts verstand.

„Ah, so, ein Bauer ist mitgekommen. Wo ist er denn?"

„Er ist weitergefahren."

„Wo lauern Gefahren?"

Den Kindern wurde langsam klar, warum Frau Heuser sich über jeden Besuch freute. Bestimmt hatten nicht viele Menschen genug Geduld, sich lange mit ihr zu unterhalten. Aber sie strahlte eine große Freundlichkeit aus und lächelte sie alle fröhlich an.

„Es ist nicht gefährlich", startete Tom noch einen Versuch. „Der Kuchen ist wirklich ausgezeichnet!"

Die Frau nickte und grinste. Dann zeigte sie auf Tina und schrie wieder: „Dich habe ich früher schon mal gesehen!"

Überrascht blickte das Mädchen die alte Bäuerin an.

„Wo?"

„Das war nach dem Krieg. Aber heute ist die Ruth längst älter! Bist du ihre Enkelin?"

„Ihre Großnichte. Wie heißt die Ruth eigentlich mit Nachnamen?"

Tina versuchte, trotz ihrer plötzlichen Aufregung langsam und laut zu sprechen. Hoffentlich verstand ihr Gegenüber alles! Auch die anderen hatten die Gabeln abgelegt. Gespannt schauten sie Frau Heuser an.

„Nachnamen?" Die Greisin wiederholte unsicher das Wort. Die vier nickten wie auf Kommando.

„Ich heiße Heuser, wisst ihr das denn nicht?"

„Nein, wie die Ruth heißt!"

„Ja, ja, ich heiße Ruth Heuser! Aber so esst

154

doch weiter!"

Es war zum Verzweifeln! Sie versuchten noch ein paar Mal, den Namen der Gesuchten zu erfahren, trotzdem verstand Frau Heuser nichts mehr. Irgendwann verabschiedeten sich die Kinder.

„Vielen Dank für Ihren leckeren Kuchen!"

„Ja, kommt mich wieder mal besuchen!" Die bejahrte Dame strahlte sie alle an und winkte ihnen nach.

Draußen war von dem Bauern nichts zu sehen.

„Der ist bestimmt auf den Feldern und düngt sie mit dem Kuhmist."

Enttäuscht verließen sie den Hof.

„Die alte Frau Heuser war ja wirklich nett. Aber leider war es verlorene Zeit!" Tom kickte ein Steinchen weg.

„Ach, das glaube ich nicht!", antwortete Ria. „Die hat sich über uns gefreut. Ohne uns wäre sie den ganzen Nachmittag allein gewesen. Auch wenn sie uns so wenig versteht wie ein Chi-

nese einen Deutschen, so hatte sie doch ein bisschen Gesellschaft."

„Das stimmt. Ihr Gesicht strahlte vor
Freude!"

An der nächsten Ecke blieben sie stehen.

„Was machen wir jetzt?"

„Lasst uns zum Gemeindeamt gehen und
nachfragen, wie viele Ruths es hier tatsächlich
gibt und wo die wohnen. Vielleicht helfen die uns
dort!"

„Und wo soll das Amt sein?"

Tina hatte keine Lust, dauernd zu wandern.
Zu Hause gehörte sie nicht zu den Sportlichsten,
sondern liebte eher die Gemütlichkeit. Deshalb
hatte ihr der Nachmittag bei Frau Heuser gar
nicht so schlecht gefallen. Im Gegenteil, selbst
wenn ihr Fahndungsergebnis miserabel ausfiel, so
fand sie die schattige und leckere Pause vom
Herumirren doch erholsam. Wie eine Urlaubs-
insel in unruhiger See.

Doch Tom erklärte bereits wie ein Fremden-
führer: „Da hinter den Häusern ist der Kirchturm.

Als wir heute Mittag aus dem Bahnhof fuhren, habe ich gesehen, dass die Kirche auf dem Marktplatz steht. Also muss da auch das Zentrum sein!" Er unterstrich seine Vermutung, indem er ein „Ist doch logisch, oder?" anfügte. Sein Orientierungssinn hatte ihn noch nie im Stich gelassen. Der gehörte zu ihm wie seine schwarzen, krausen Haare.

15   HILFE IM RATHAUS?

Es stellte sich heraus, dass Tom recht hatte. In der Nähe des Marktplatzes fanden sie das Gemeindeamt. Der Pförtner nannte ihnen die Zimmernummer, wo sie eventuell etwas erfahren konnten.

Nachdem sie geklopft hatten, rief eine müde Stimme von innen „Herein!"

Im Gänsemarsch betraten sie den Raum. In der Mitte stand ein riesiger Schreibtisch voll mit Aktenordnern und Stapeln von Papier. An den Wänden lehnten Regale, die bis an die Decke reichten und ebenfalls von Ordnern und Schriftstücken überquollen. Es war, als befänden sie sich plötzlich in einem Archiv.

Hinter den Dokumentenstößen erklang wieder die schläfrige Stimme: „Womit kann ich euch dienen?"

Zu dieser Stimme gehörte eine kleine, zierliche Frau mit einer großen Hornbrille. Die Angestellte schaffte es kaum, über die Aktenstapel zu blicken.

Tom machte sich zum Sprecher der vier Kinder.

„Wir suchen eine Ruth, die etwa 75 Jahre alt ist. Leider wissen wir ihren Familiennamen nicht."

Die Frau antwortete langsam und leise, als ob sie kurz vor dem Einschlafen sei: „So, so, eine Ruth. Und wieso sucht ihr sie?"

Tina stöhnte innerlich auf. Es war eigentlich klar, dass die Beamtin nicht einfach Adressen weitergeben durfte. Das Mädchen fürchtete allerdings, dass diese Frau ihnen zusätzliche Schwierigkeiten machen würde. Mit ihrer Brille sah sie aus wie eine Eule. Und Eulen kauern unauffällig in ihrem Versteck, bis sie sich auf eine Maus stürzen. Diese Frau hockte hinter ihren Akten genauso: als ob sie sich unsichtbar machen wollte, um dann im geeigneten Moment den Angriff zu starten. Aber durfte man so über einen Menschen urteilen, ohne ihn zu kennen?

Tom erklärte der Dame ihre Nachforschungen. Aufmerksam hörte diese zu. Tina bemerkte, wie sie sich unmerklich streckte. Unverwandt sah die Frau Tom an, während ihre Hand auf einer unsichtbaren Tastatur Klavier spielte. Gleich würde sie sicher nach vorne schnellen und - wie eine Eule es eben tut – auf ihn einhacken. Natürlich würde die Beamtin Tom nicht körperlich angreifen, aber gewiss mit Worten ...

„Das alles klingt ehrlich, gleichzeitig auch recht fantastisch ...“

Die Frau dachte angestrengt nach. Dabei malte sie die Buchstaben RUTH auf die Schreibtischunterlage.

„Ich will euch vertrauen. Doch wir machen eine Art Geschäft daraus.“ Sie schaute die Kinder der Reihe nach an.

„Ihr gebt mir euren Schülerausweis oder irgendetwas, womit ich eure genauen Daten überprüfen und aufschreiben kann. Falls ihr nämlich Schindluder mit diesen Adressen treibt, haften

160

eure Eltern. Und am Ende von euren Nachforschungen erzählt ihr mir, was ihr herausgefunden habt!"

Erleichtert stimmten die vier zu. Es lief ja unerwartet gut. Wer hätte das vermutet?!

Allerdings gestaltete sich die Geschichte mit dem Ausweis schwieriger als gedacht. Keiner von ihnen hatte etwas Entsprechendes dabei. Nach einigem Hin und Her einigten sie sich darauf, dass die Beamtin die Telefonnummer der Eltern aus Franks Handy aufschrieb.

Dann nahm sie einen Zettel und schrieb eine Adresse auf. Den reichte sie Tom. Der warf einen Blick darauf.

„Nur diese eine Anschrift? Es gibt doch sicher noch mehr Ruths in dem Alter!"

„Ihr braucht keine anderen! Das ist die Gesuchte."

Die Frau nickte in Tinas Richtung: „Schon als ihr rein gekommen seid, dachte ich: ‚Das muss eine Verwandte von Ruth Hofmüller sein!' Ehrlich, die Ähnlichkeit ist nicht zu übersehen!"

Verblüfft verabschiedeten sich die Kinder.

Draußen wandte sich Tina an die anderen: „Warum hat sie uns denn nicht gleich vertraut, diese alte Eule?!"

„Na, wie kommst du denn auf diesen Vergleich?", wollte Ria lachend wissen. „Obwohl, eine gewisse Ähnlichkeit ist nicht zu verleugnen!"

„Sie ist halt eine sehr gewissenhafte Eule!", erklärte Tom das Verhalten der Beamtin.

„Zeig mal den Zettel her! Wo wohnt denn diese Ruth Hofmüller?"

Tom las die Anschrift „Lerchenweg 11" und das dazu gehörige Dorf.

„Das ist ja gar nicht hier im Ort, sondern im nächsten!"

„Aber wir haben sie doch hier gesehen!"

„Vielleicht war sie nur zum Einkaufen da?"

„Wie kommen wir jetzt dorthin?"

„Lasst uns am Bahnhof schauen, da hängt eine Landkarte!"

Also zogen sie zur Bahnstation. Dort

studierten sie die Karte.

„Das ist ein ganzes Stück außerhalb! Mit dem Zug gibt es dahin keine Verbindung - auch nicht per Bus!"

„Ob uns wieder ein Bauer mitnimmt?"

„Oder wir versuchen es zu Fuß. Wenn wir heute noch eine Stunde wandern und morgen früh eine weitere, können wir es gut schaffen!"

Da es inzwischen nicht mehr so heiß war, konnten sich alle mit diesem Gedanken anfreunden. Selbst Tina stimmte zu. So schulterten sie ihre Rucksäcke und marschierten in Richtung Ortsausgang. Der Weg führte sie in ein Tannenwäldchen, in dem es angenehm kühl war.

„Was haltet ihr von einem kleinen Picknick?"

„O ja, wir können uns hier im Moos hinsetzen. Wir haben noch genügend Brötchen von der netten Bäuerin von heute früh!"

Während sie sich lagerten, fuhr ein grüner Fiat an ihnen vorbei.

„Hei, habt ihr gesehen, wer dadrin saß?",

163

rief Ria.

Die anderen schauten hinter dem etwas verrosteten Auto hinterher.

„Nein, keinen blassen Schimmer!", antwortete ihr Bruder.

„Ich glaube, da saß niemand drin!", mutmaßte Tina, „jedenfalls konnte ich keinen sehen."

„Stimmt, die Fahrerin war auch sehr winzig."

„Meinst du etwa die Eule vom Gemeindeamt?"

„Genau, die fuhr gerade hierher!"

„Die hätte uns doch mitnehmen können!"

„In das mickrige Pöpelchen passte bloß sie selbst! Da war kaum Platz für vier weitere Personen!"

„Außerdem ist es so klapprig, dass es uns wahrscheinlich gar nicht hätte transportieren können."

Die Kinder lachten und bissen herzhaft in ihre Semmeln.

„Das wurde aber auch Zeit! Beinahe wäre

ich verhungert!"

Tom angelte sich die Thermosflasche und trank von dem herrlichen, kalten Apfelmost, den sie am Morgen bekommen hatten.

„Eigentlich könnten wir hier übernachten. Schlecht ist diese Wiese nicht."

„Und nachts kitzeln uns die Füchse und Wildschweine!"

Frank blickte neckend in Tinas Richtung. Diese reagierte sofort, wie er es vorausgesehen hatte: „Bloß nicht! Auf gar keinen Fall!" Sie schüttelte sich. „Ich brauche dringend ein Dach über dem Kopf!"

Ria schmunzelte. „Es wäre auch zu feucht. Der Tau würde sich auf uns legen!"

„Hast du denn einen besseren Vorschlag?"

„Ja! Schaut mal dahinten die Scheune!"

Die anderen spähten in die angegebene Richtung. Ein wenig verfallen stand auf einer Lichtung ein kleiner Schober. Das Dach wies ein paar Löcher auf, die Tür hing windschief in den Angeln. Zum Schlafen würde es reichen.

„Nicht schlecht, dieses Hotel! Hoffentlich kostet eine Übernachtung nicht zu viel!" Frank hatte den Kopf schräg gelegt, als ob er seine Finanzen überschlagen müsste.

„Ach, ich denke, ohne Frühstück können wir uns das mal leisten. Bedenkt, so eine exklusive Unterkunft bekommen wir so schnell nicht wieder!"

Rasch hatten sie ihre Utensilien eingepackt. Durch das Unterholz bahnten sie sich einen Weg zu ihrem ‚Hotel'. Erst umkreisten sie es und bestaunten alles: „Seht mal hier, ein extrakleines Fenster!" Tina zeigte auf eine beschädigte Stelle in der Wand. Die Latte war etwas heraus gebrochen.

„Das ist eine Schießscharte. Das ganze hier ist eine Burg!"

„Lasst sie uns einnehmen und gegen jeden Feind verteidigen!"

Sie stießen die angelehnte Tür weit auf und schauten hinein. Große Heuballen waren in zwei Reihen übereinandergestapelt. Manche lagen auch auseinandergefallen auf dem Steinboden.

„Da oben muss es toll sein! Wie eine Aussichtsterrasse!"

Als hätte jemand ein Kommando gegeben, ließen die Kinder ihre Rucksäcke fallen und kletterten auf die Ballen. Tom erreichte die Aussichtsplattform als Erster. „He, Leute, dahinter ist ein freier Platz!" Noch bevor die anderen ihn erreicht hatten, sprang er runter. Frank tat es ihm gleich, während sich die Mädchen die Stelle von oben anschauten.

„Nicht schlecht. Da könnten wir ein bisschen von dem Heu hinstreuen. So bekämen wir ein richtiges Schlafzimmer!"

Die Jungen machten sich sofort an die Arbeit. Schnell waren vier ‚Betten' hergerichtet. Dann hievten sie ihre Rucksäcke über das Stroh. Schließlich lagen sie alle vier faul auf ihren Heumatratzen.

„War das ein Tag!", seufzte Tina. Die anderen nickten. Gemeinsam ließen sie ihre Erlebnisse von diesem Tag an ihrem inneren Auge vorbeiziehen.

Schließlich meldete sich Frank wie verabredet bei seinen Eltern. Und während draußen ein herrlicher Sonnenuntergang einen heißen neuen Tag versprach, fiel immer weniger Licht in ihre Herberge. Einer nach dem anderen verstummte. Bald war nur noch ein leises, gleichmäßiges Atmen zu hören - allerdings nur in ihrem Versteck. Andernfalls wäre es vielleicht zu einer Katastrophe gekommen ...

16 UNLIEBSAME GÄSTE

Der Wind hatte etwas aufgefrischt. Die Tür schwang leicht quietschend in den Angeln. Fahles Mondlicht beschien die Scheune, die einen langen Schatten auf die Lichtung warf.

Zwei grobschlächtige Gestalten stapften auf sie zu.

„Jetzt kann ich aber nich mehr!"

„Ne, dat war nu aber wirklich en Gewaltmarsch. Der Schuppen kommt gerade richtig!"

„Eddi, hier bringen mich keine zehn Pferde mehr weg! Jetzt wird geratzt, wat dat Zeug hält."

Drinnen schleuderten sie ihr Gepäck auf den Boden.

„Zum Pennen is genug Heu für uns da. Hier, verteil dat mal."

„Dat war en Tag! Nix ham wir gefunden! Überall waren wir umsonst."

Eddi legte sich hin und verschränkte die Arme unter seinem Kopf. Ironisch entgegnete er:

169

„Dat stimmt. Et war en ‚super‘ Tag. Da gibt et sogar en Lied dazu!"

„Na, da bin ich aber gespannt. Lass mal hören!"

„So ein Tag, so wunderbar wie heute ..." Eddi grölte aus voller Kehle. Der „Gesang" erfüllte die Scheune, als ob ein DJ seine Musik auf höchste Lautstärke gestellt hatte.

Den Kindern fuhr ein unvorstellbarer Schreck in die Glieder. Sofort saßen sie hellwach auf ihren Strohbetten. In ihrem Versteck konnten sie die Hand nicht vor Augen sehen, so stockfinster war es. Tina rutschte näher an Ria, die wiederum ihre Hand nach Frank ausstreckte. Auch Tom schob sich an sie heran.

Natürlich hatten sie diese fürchterliche Stimme sofort identifiziert, denn die kannten sie inzwischen zur Genüge! Hoffentlich entdeckten die beiden Männer sie nicht! Und: Was sollten sie jetzt bloß machen? Wie konnten sie sich absprechen, ohne dass die Gauner sie hörten und Licht sahen?

Verzweifelt grübelte jeder über eine Lösung nach. Tina hatte als erste den rettenden Einfall. Sie flüsterte Ria ins Ohr: „Wo ist das Handy?"

Diese gab die Frage an Frank weiter, der es aus seiner Tasche kramte und den Mädchen reichte. Tina drückte irgendeine Taste. Das Display leuchtete auf und blendete ihre Augen wie der erste Sonnenstrahl nach der Nacht. Schnell verdeckte sie es mit ihrer Hand. Sie wählte die Notizbuch-App und schrieb: ‚Was sollen wir machen?' Anschließend zeigte sie das Handy – immer noch abgeschirmt - ihren Freunden. Tom nahm es und gab einen weiteren Satz ein: ‚Wir müssen der Polizei simsen!'

Während die üblen Gesellen auf der gegenüberliegenden Seite des Strohs ihr Lied beendeten, stellte Frank in aller Stille die Frage: ‚Wer von euch kennt eine Handynummer von einem Polizisten?'

Betretenes Schweigen. Tom nahm sich das Handy erneut: ‚Ich schreibe Ralf, bei dem wir ursprünglich die Ferien zubringen sollten. Der wird Hilfe schicken, aber sich dabei nicht so sehr aufregen wie unsere Eltern. Doch: Wo befinden wir uns hier überhaupt?'

Wieder griff sich sein Freund das Gerät. ‚Lass mich schreiben, wo wir sind, und du gibst nur die Nummer ein.'

Als Tom das las, nickte er. Frank überlegte kurz, um dann kurz und knapp zu tippen: ‚Sind mit zwei gesuchten Verbrechern in einer verfallenen Scheune. Die Lichtung liegt zwischen Berwang und Lähn in einem Tannenwäldchen. Brauchen dringend Hilfe. Tom.'

Tom überflog den Text. Dann sendete er ihn an seinen erwachsenen Freund.

Nun konnten sie nur noch warten. Hoffentlich hatte Ralf sein Handy in der Nacht eingeschaltet! Und hoffentlich handelte er schnell!

Von den beiden Ganoven hörten sie inzwischen ein beachtliches Schnarchen. Tina lauschte ängstlich. Aber mit der Zeit entspannte sie sich. Sie merkte nicht einmal, wie sie erneut in tiefen Schlaf fiel. Auch die anderen schlummerten ein. Wie lange sie so geruht hatten, konnten sie später nicht mehr sagen. Aber plötzlich fuhren sie zusammen. Eine Männerstimme brüllte: „Eddi, wach auf, da is die Polizei!"

Ein ärgerliches Brummen folgte, dann war der Angeredete hellwach: „Mich holt kein Bulle mehr. Eher schneide ich allen die Kehle durch!"

Nun hörten die Kinder von draußen eine Stimme: „Kommen Sie mit erhobenen Händen heraus!"

„Dat würde euch wohl gefallen! Aber vorher zünde ich die Scheune an!"

Im Dämmerlicht des Morgens blickten sich die Kinder entsetzt an. Würden die das wirklich tun?

„Machen Sie keine Dummheit! Die Scheune ist umstellt, Sie kommen hier nicht weg!"

„O doch, sobald sich jemand nähert, geht hier alles in Flammen auf!"

Von hinten hörten die Kinder, wie sich Eddi und sein Freund beratschlagten. „Wie ham die uns finden können? Dat is ganz unmöglich!"

„Da muss uns einer verpfiffen haben. Wenn ich den kriege!"

Die Kinder sahen in ihrer Fantasie die dazu gehörende Handbewegung an der Gurgel. Ängstlich rückten sie noch enger zusammen.

„Dat war'n bestimmt die Gören, die uns dauernd in die Quere kommen! Die müssen uns verfolgt haben!"

Wie gut, dass die beiden nicht wussten, wie nahe sich die Kinder befanden! Aber den vieren war klar, dass sie bald entdeckt werden konnten. Die zwei Verbrecher ähnelten tickenden Zeitbomben, die irgendwann in die Luft gehen und alles mit sich ins Verderben reißen würden.

Fieberhaft dachten die Kids nach. Plötzlich hörten sie mit Schrecken, dass ihre Befürchtungen wahr wurden:

„Vielleicht ham die uns gar nicht verfolgt. Vielleicht ham wir sie ja aufgeschreckt."

174

„Wie meinste dat?"

„Mensch, du bis' aber schwer von Begriff! Die könnten doch schon eher hier gewesen sein!"

„Und wo sollen die stecken?"

Die Kinder versteiften sich vor Schreck.

„Wahrscheinlich ham die uns kommen hören und sind abgehauen. Sonst wär'n se ja hier!"

Am liebsten wäre Tina den anderen vor Erleichterung um den Hals gefallen. Aber die Entspannung hielt nur kurz an.

„Ich werd' dat bestimmte Gefühl nich los, dat wir hier nich allein sind!"

„Natürlich sind wir nich allein hier! Draußen steht eine ganze Flotte Polizisten! Wat denkst du denn?!"

„Ne, ich meine hier drinnen!"

„Mach keine Witze, wer soll denn hier sein. Und wo?"

„Na, die Kids. Vielleicht sind die ja auf dat Heu geklettert!"

„Dann kletter doch mal hoch und kontrollier

die Lage!"

„Dat mach ich ooch!"

Die Kinder hörten, wie einer der beiden ächzend die Ballen bestieg. Sie selbst drängten sich so weit wie möglich an die Strohballen heran. Doch ihre Lage war hoffnungslos. Es war ausgeschlossen, sich richtig zu verbergen!

In diesem Moment fiel Toms Blick auf ihre Schlafstelle: Auch das platte Stroh verriet ihre Anwesenheit zu deutlich!

Die Kinder spürten, wie der gesamte Heukomplex schwankte. Das konnte nicht gut gehen!

„Ich komm hier nich weiter, dat wackelt zu sehr! Aber so viel ich in dem Dunkeln seh'n kann, is da keiner!"

„Dann komm zurück, wir müssen uns eine Flucht überlegen."

17   HOFFNUNGSLOS!

Den Kindern war der Schock noch in den Gesichtern anzusehen. Das hätte leicht schief gehen können!

Was konnten sie machen? Was hatte die Polizei vor? Warum hörten sie von denen nichts mehr?

Die gleichen Gedanken hegten offenbar genauso Eddi und sein Freund: „Wenn ich nur wüsste, wat die Bullen vor ham! Man wird ja ganz närrisch!"

„Genau dat woll'n die auch. Aber den Gefallen tu ich ihnen nich! Die bekommen mich nich lebendig! Ich werd bis zum Äußersten kämpfen!"

„Wie willst du gegen deren Knarren ankommen?"

„Hiermit!"

Die Kinder hörten ein Rascheln, dann ein „Klick". Frank kannte dieses Geräusch genau:

Das Jagdgewehr seines Vaters machte den gleichen Laut, wenn es entsichert wurde.

„Mensch, ich wusste gar nich, dat du so wat in deinem Rucksack hast!"

„Et passte auch nur mit dem abgesägten Lauf rein. So, damit die wissen, dat et mir ernst is, geb ich mal ne Vorführung."

Ein ohrenbetäubender Knall ließ die Kinder zusammenfahren.

Eddi lachte kalt. „Jetzt werden se en bisschen Respekt vor uns ham!"

Die Kinder schauten sich an. Sie mussten hier raus - auf jeden Fall. Tom robbte wie ein Soldat im Einsatz leise an den Heuballen entlang und untersuchte den Rand. Auf einmal winkte er den anderen. Geräuschlos folgten sie ihm, neugierig, ob er etwas gefunden hatte.

Er deutete auf einen Spalt zwischen der Seitenwand und dem Stroh. Hier konnten sie sich zumindest besser verstecken. Nacheinander schlüpften sie hinein. Wie überrascht waren sie, dass sich vor ihnen ein Hohlraum auftat. Dann

178

verjüngte sich der Raum erneut zu einem Spalt und führte zur Vorderseite der Ballen. Tom krabbelte an diese Öffnung heran. Vorsichtig blickte er aus seinem Versteck wie eine Maus aus ihrem Loch. Die beiden Männer saßen in der Mitte, genau der Tür gegenüber. Eddi hielt seine Flinte auf dem Schoß, schussbereit.

Der Junge kehrte wieder um. Die Lage war echt verzweifelt.

Plötzlich hörten sie von außen eine Stimme rufen: „Wenn Sie nicht in den nächsten drei Minuten herauskommen, stürmen wir die Scheune. Das wird für Sie gefährlich. Wenn Sie aber freiwillig kommen, kann sich das positiv auf Ihr späteres Verfahren auswirken."

„Wir sin doch nich blöd. Sobald wir einen von euch sehn, is er en toter Mann!"

Frank schaute auf seine Uhr. Drei Minuten dauerten nicht lang. Hoffentlich gerieten sie nicht in die Schusslinie! Aber sie konnten nichts weiter tun als zu warten. Oder gab es doch noch eine andere Möglichkeit?

Jeder der vier Kinder zermarterte sich verzweifelt das Hirn. Jetzt nur nicht von Panik bestimmen lassen! Frank schaute wiederholt auf seine Uhr. Noch zwei Minuten ...

Tina hegte nur den einen Wunsch: Raus hier! Unbewusst stemmte sie ihr rechtes Bein gegen die Wand. Ein kurzes Knacken - auf einmal war die Holzlatte etwas nach außen verschoben. Erst horchten die vier entsetzt, ob die beiden Verbrecher etwas bemerkt hatten. Aber die waren lauthals mit ihrem eigenen Problem zugange.

Nun versuchte Tina es erneut, direkt neben der kleinen Öffnung. Dieses Mal war das Knacken lauter. Das Gespräch der beiden Männer verstummte. Dann vernahmen die Kinder schlurfende Geräusche, die zu ihrer Seite kamen. Angstschweiß bildete sich auf Tinas Stirn wie kleine Perlen.

Automatisch schaute Frank ein weiteres Mal auf seine Uhr. Wieder war eine Minute verstrichen. Sie mussten hier raus! Verzweifelt traten sie nun alle gegen die Latten, die sich eine nach der anderen lösten.

„Mist, da müssen die Kinder sein. Eddi, komm! Wir müssen se finden! Dat werden unsere Geiseln!"

Tom spürte, wie jemand heftig an den Strohballen zerrte. Entweder, sie wurden jetzt von den Verbrechern gefangen genommen, oder alles stürzte über ihnen zusammen!

„Los, macht, dass ihr raus kommt!", schrie er verzweifelt. Nun traten sie mit Gewalt gegen die Wandbretter. Ein fürchterliches Krachen zeigte an, dass sie Erfolg hatten. Einer nach dem anderen zwängte sich durch den entstandenen Spalt. Draußen zogen die Polizisten sie vollends heraus, um schnell Platz für den nächsten zu schaffen.

„Lauft dahinten zum Waldrand. Jetzt wird es wirklich gefährlich!"

Die Kinder rannten los, als wäre ein Löwe hinter ihnen her, und verbargen sich jenseits von einem Stapel Baumstämmen.

Frank beobachtete, wie die Polizisten in die

Scheune stürmten. Eddi und sein Freund leisteten keinen Widerstand. Mit Handschellen versehen wurden sie abgeführt und in einen Streifenwagen gesetzt. Mit Blaulicht entfernte sich das Auto.

Erleichtert kamen die Kinder hinter ihrem Versteck hervor. Ein Beamter schritt auf sie zu.

„Da habt ihr aber Glück gehabt! Die beiden sind uns Polizisten altbekannt. Und die kennen normalerweise kein Pardon!"

Auf der Straße hielt ein Landrover. Ein junger Mann sprang heraus und lief über die Lichtung auf sie zu.

„Ralf!" Tom rannte jubelnd zu ihm und umarmte ihn. Dann stellte er ihn den anderen vor.

„Was machst du denn hier?", fragte er anschließend seinen erwachsenen Freund.

„Na, hör mal, nach eurer SMS habe ich mir fürchterliche Sorgen gemacht. Sobald ich konnte, bin ich hergefahren!"

Da die Kinder sich nun in erwachsener Begleitung befanden, verabschiedeten sich die letzten Polizisten und stiegen in ihre Fahrzeuge.

182

18 DER VATER

Die Kinder schilderten Ralf ihre Abenteuer aus den letzten Stunden. Tief beeindruckt sah er von einem zum anderen: „Die Gefahr habt ihr fantastisch gemeistert! Alle Achtung! Aber wieso seid ihr eigentlich hier und nicht auf dem Hof von Frank und Ria?"

Nun erzählten die vier, was sie in den vergangenen Tagen erlebt hatten. Ralf schüttelte mehrmals den Kopf. „Das gibt es doch gar nicht! Und die besagte Ruth soll hier in der Nähe wohnen?"

„Ja, am liebsten würde ich sofort hin und alles aufklären. Ob sie die Zwillingsschwester meiner Oma ist? Bestimmt - oder doch nicht?" Unsicher schaute Tina zu ihren Freunden.

Ralf ergriff das Wort: „Es ist noch zu früh, um bei fremden Leuten einfach aufzutauchen. Was haltet ihr davon, wenn wir im Bahnhofscafé erst mal ordentlich frühstücken?"

Dagegen hatte keiner etwas einzuwenden. Sie stiegen in den Landrover und fuhren zurück in die Stadt. Unterwegs simste Frank seinen Eltern, dass alles O.K. sei. Die genaue Berichterstattung wollte er ihnen lieber mündlich geben.

Im Café ließen sie es sich gut schmecken. Ralf forderte sie immer wieder auf, noch mehr von den leckeren Brötchen und den Eiern zu nehmen.

„Puh, ich kann beim besten Willen nicht mehr!" Ria hielt sich ihren Bauch.

„Aber, Tina, du hast bisher kaum etwas gegessen!", schalt Ralf.

„Ach, ich kann vor Aufregung nichts zu mir nehmen!" Sie rutschte nervös auf ihrem Stuhl hin und her.

„Dann will ich mal bezahlen. Inzwischen können wir Frau Ruth sicher besuchen." Ralf ging mit seinem Portemonnaie zur Theke.

„Er ist ein feiner Kerl!", bemerkte Frank.

„Absolut!", freute sich Tom. Er war stolz auf seinen Freund.

184

Kaum hatte dieser bezahlt, sprangen alle auf und rannten zum Parkplatz. Ungeduldig zwängten sie sich in den Geländewagen. Bald fuhr Ralf die kurvige Landstraße entlang, über die sie gestern marschiert waren.

Im Ort fragten sie eine Fußgängerin nach dem Lerchenweg. Zum Glück wusste die, wo sie die gesuchte Straße finden konnten. Neugierig schaute sie in den Wagen, wo sie Tina entdeckte.

„Du willst wohl deine Oma besuchen? Komisch, die andern Enkel von Ruth kenne ich alle - nur dich nicht. Sie hat mir nie erzählt, dass sie noch mehr Enkel hat!" Die Frau schüttelte den Kopf. „Aber sie wird sich sicher freuen!"

Die Kinder guckten sich vielsagend an. In diesem Dorf kannte offensichtlich jeder jeden. Und: Allen Menschen fiel die Ähnlichkeit von Tina zu der älteren Frau auf! Wie gespannt waren sie, bald vor ihr zu stehen!

Kurz danach bog Ralf in den Lerchenweg ein. Vor Haus Nummer 11 stiegen sie aus. Ein Vorgarten, der in allen Farben blühte, lag vor ihnen. Ein Weg aus Natursteinen wand sich bis zur Haustür, die offen stand und den Blick in das kleine Einfamilienhaus freigab. In den schmalen Flur fiel das Sonnenlicht. Gerade in diesem Moment trat eine ältere Dame aus einem Zimmer und stieg die vier Stufen herunter in den Garten. Da sie von der Sonne geblendet wurde, sah sie die wartenden Gäste nicht. Ralf räusperte sich, um sie nicht zu erschrecken. Aber genau das passierte. Heftig fuhr sie zusammen und hielt dann ihre Hand über die Augen.

„Haben Sie mich vielleicht erschreckt! Nanu, wie viele sind denn hier?" Sie schaute von einem zum anderen. Als ihr Blick auf Tina fiel, erstarrte sie. Verwirrt stammelte sie: „Kenne ich dich?"

Sie trat auf das Mädchen zu, welches verlegen da stand. Doch dann löste sich Tinas Verkrampfung und sie lief der Frau entgegen. „Ich möchte Sie nicht noch mehr erschrecken. Aber ich glaube, wir beide sind miteinander verwandt!"

Die Frau hielt sich am Gartentörchen fest.

Aufmerksam betrachtete sie Tina.

„Wie kann das sein?"

Tina überlegte kurz, wie sie der Frau die Zusammenhänge verdeutlichen konnte.

„Das hängt mit Ihrer frühesten Kindheit zusammen. Wahrscheinlich wissen Sie nicht viel darüber."

Ein wehmütiger Ausdruck überzog das Gesicht der älteren Dame.

„Findet mich nach so vielen Jahren jemand, der meine Herkunft kennt?"

Tränen traten in ihre Augen. „Ich weiß zwar nicht, wer du bist. Aber wir gehören bestimmt zusammen!"

Tina fühlte sich auf einmal zu Hause, so, als ob sie diese Frau schon lange kennen würde. Und bestimmt ging es dieser ebenso.

Mit belegter Stimme lud die ältere Dame alle ein: „Am besten, ihr kommt mit rein. Dann könnt ihr mir alles in Ruhe erklären!"

Sie ging voran und öffnete die Tür zum Wohnzimmer. Die anderen marschierten im

Gänsemarsch hinter ihr her. Nachdem sie jedem Apfelschorle gebracht hatte, setzte sie sich den Kindern, die auf dem Sofa Platz genommen hatten, gegenüber. Ralf hockte auf einem Sitzkissen.

„So, nun bin ich aber gespannt, wie wir zusammengehören und wie ihr mich gefunden habt. Ach, vielleicht sollten wir uns erst mal vorstellen? Ich heiße Ruth Hofmüller. Aber das wisst ihr wahrscheinlich sowieso?! Sagt ruhig ‚Ruth‘ zu mir."

„Gerne!", meldete sich Tom zu Wort. Dann nannte er ihr reihum alle Namen und wie sie zueinanderstanden.

„Na, ihr seid ja eine bunt gemischte Schar. Aber", nun wandte sich Ruth an Tina, „erzähl mal. Ich bin gespannt wie ein Flitzebogen!"

Ruths ruhige, freundliche und zugleich fröhliche Art gefiel Tina. Sie fühlte sich sehr zu ihr hingezogen.

Nun berichtete sie über die Oma von Ria und Frank, der die Ähnlichkeit zu ihren kleinen,

188

ehemaligen Gästen zuerst aufgefallen war.

Ruth dachte nach.

„Warte mal, ich habe zwar kaum noch Erinnerungen an früher. Aber ich kann mich noch an die halsbrecherische Seilbahn erinnern - und dass wir da oben auf der Alm allein waren. Sonst weiß ich nichts mehr. Stimmt das wirklich, dass das andere Mädchen meine Zwillingsschwester ist? Ich habe eine Zwillingsschwester?"

Erschüttert hielt Ruth ihre Hand vor den Mund. Keiner wagte, etwas zu sagen. Was mochte wohl bei der Erkenntnis, dass sie eine Schwester - ja sogar eine Zwillingsschwester - hatte, in ihr vor sich gehen?

„Ich kann es kaum fassen! Ich habe eine Zwillingsschwester!" Sie war aufgestanden und trat ans Fenster. „Wenn das mein Mann noch erfahren hätte! Leider ist er seit zwei Jahren tot. Wisst ihr eigentlich, dass zwei meiner Enkel auch Zwillinge sind?" Sie hatte sich zu den anderen gedreht und nahm wieder Platz.

„Erzähl weiter. Das ist ja total spannend!"

An die späteren Ereignisse, den Aufenthalt bei der nächsten Familie und in der Schweiz hatte sie keine Erinnerung.

„Ich weiß nur, dass ich hierher gebracht wurde zu einer sehr netten Familie, weil die Tante, wo ich vorher lebte, an einer Lungenentzündung gestorben war. Seitdem lebe ich in diesem idyllischen Nest."

Ruth hatte die Augen geschlossen. Plötzlich schaute sie wieder Tina an. „Du stammst also von meiner Schwester ab?!"

„Das nehme ich an. Meine Oma hat nie erzählt, dass sie noch eine Schwester hat. Aber wahrscheinlich hat sie davon auch keine Ahnung – so wie du das vorher ja auch nicht wusstest!"

Nun überlegten sie, wie sie weiter vorgehen konnten. Ruth wollte so bald wie möglich ihre Schwester kennenlernen.

„Wer weiß, wie viel Zeit uns noch bleibt?! Und am Telefon kann ich das nicht mit ihr abmachen. Das geht zu tief. Aber erzähle mir doch ein bisschen, wie Ella so ist?"

190

Nun beschrieb Tina ihre Großmutter. Immer wieder stand Ruth Hofmüller auf und ging zum Fenster. Jedes Mal, wenn sie sich zu den anderen umdrehte, hatte sie eine neue Frage. Nach und nach wurde sie immer fröhlicher.

„Endlich weiß ich etwas über meine Herkunft. Ihr glaubt gar nicht, wie schlimm das ist, wenn man überhaupt keine Ahnung hat, woher man kommt, wann man geboren wurde, wie der eigene Nachname ist. Zu oft kommt man an seine Grenzen ..." Ihr Gesicht zeigte einen melancholischen Ausdruck, der aber sofort wieder verflog.

„Vor allem muss ich bald mit eurer Oma sprechen." Sie nickte zu Ria und Frank. „Die kann mir ja sicher auch etwas über meine Eltern erzählen!"

Tina beugte sich vor: „Darf ich dich fragen, wie du all die Jahre die Unsicherheit ausgehalten hast? Auch der ständige Wechsel von einer Pflegefamilie zur anderen muss doch Spuren hinterlassen haben, selbst wenn du keine Erinnerung mehr daran hast!"

„Das ist eine gute Frage. Ich beantworte sie dir gerne. Solange ich Kind war, hatte ich einfach alles hingenommen, wie es kam. Die Zeiten waren so verrückt, und als Kind denkt man über vieles nicht nach. Aber als ich älter wurde, als Teenager, fing die ganze Ungewissheit an, sehr an mir zu nagen. Ich wollte eigene Eltern haben. Zumindest wollte ich wissen, ob sie mich lieb gehabt hatten oder ob ich womöglich einfach verstoßen worden war. Keiner konnte mir helfen!"

„Das muss schrecklich sein!" Tina fühlte mit ihrer Großtante.

„Ja, es war fürchterlich. Nichts machte mir mehr Spaß. Der Gedanke, dass meine Eltern - oder vielleicht auch Geschwister - irgendwo ohne mich lebten, ließ mich nicht mehr los. Ich kam mir ziemlich verlassen vor. Wie eine einsame Rose in der Wüste."

„Wie haben Ihre Pflegeeltern darauf reagiert?", wollte Frank wissen.

„Sie waren sehr geduldig. Und sie taten das Beste, was sie tun konnten: Sie machten mich mit

192

meinem eigentlichen Vater bekannt!"

„Bitte, mit wem?" Die Kinder, selbst Ralf, schauten Ruth verblüfft an. „Aber der ist doch tot!"

Die Frau lächelte. „Ihr habt das falsch verstanden. Meine Pflegemutter hatte mir von klein auf erzählt, dass Gott alle Menschen geschaffen hat - auch mich. Dass er mich gewollt hatte - sonst hätte er mich doch nicht so gemacht, wie ich bin. Und dass er sich sehr freut, wenn er eine enge Beziehung zu mir bekommt, wie ein guter Vater zu seinem Kind. Sie erklärte mir auch, was man beten kann, damit man tatsächlich sein Kind wird – und ihn eben zum Vater gewinnt."

Ruth strahlte die anderen an.

„Seitdem habe ich einen Vater - einen Vater im Himmel. Er hat immer gut für mich gesorgt. Ihm erzähle ich alles. Und er macht mich aufmerksam auf das, was er mir sagen will. Kurzum: Durch ihn habe ich damals meine Krise überwunden. Und wenn erneut dunkle Gedanken kamen, habe ich sie ihm gesagt und mich daran erinnert, dass dieser Vater mich niemals verlässt!"

Tina saß versunken da. Wieder kam ihr Judith in den Sinn, die auch mit diesem innigen Kontakt zu Gott lebte. Doch immer noch bohrte die eine Frage in ihr: „Aber ich verstehe nicht, wieso man eine so enge Freundschaft mit Gott haben kann. Ich hätte ein viel zu schlechtes Gewissen ihm gegenüber. Er weiß doch alles, was ich bisher auch an Schlechtem gesagt oder getan habe!"

Ruth nickte. „Du hast schon sehr viel verstanden! Mehr als manch ein Erwachsener!", lobte sie. „Du hast recht: Was wir verbockt haben, steht zwischen ihm und uns. Das war auch bei mir so. Aber, was meinst du, weshalb Gott seinen Sohn Jesus in unsere Welt geschickt hat? Und weshalb dieser am Kreuz gestorben ist?"

Tina überlegte. Tom wusste seit dem letzten Abenteuer, als sie mit dem Zirkuswagen unterwegs waren, bereits die Antwort: „Jesus hat damit die Strafe für unsere Schuld bezahlt." Dann fügte

194

er schüchtern hinzu: „Und er ist seit einem Jahr auch mein Vater!"

„Das ist ja toll!", freute sich Ruth, „so sind wir ja Geschwister!"

Tom lachte sie an, bevor er sich an Tina wandte: „Wenn ich Jesus glaube, dass er für meine Schuld die Strafe getragen hat, bin ich völlig O.K.! Und dann kann ich ganz eng mit Gott leben."

Die Kinder sprachen noch eine Weile darüber. Aber dann meldete sich Ralf zu Wort.

„Ich denke, ich sollte euch langsam wieder nach Hause bringen. Dann könnt ihr auch der Oma schon erzählen, dass ihre kleinen Gäste von damals noch leben."

Ria grinste Frank an: „Meine Güte, was die sich freuen wird!"

„Das ist eine gute Idee! Dann komme ich auch bald und besuche sie", nickte Ruth.

Sie standen alle auf. Nachdem Ruth noch jedem einen großen Apfel in die Hand gedrückt hatte, verabschiedeten sie sich.

Als sie schon im Landrover wieder Platz genommen hatten, rief Tina: „Ich muss sie noch was fragen. Lasst mich noch mal raus!"

Sie riss die Wagentür auf und rannte zu ihrer Großtante, die am Gartentor stand.

„Ich möchte auch Gott als Vater haben. Kannst du nicht mit mir zusammen zu ihm beten?"

Verblüfft schaute Ruth auf Tina. „Komm, wir gehen noch mal kurz rein."

Drinnen setzten sie sich gemeinsam auf die Couch. Ruth nickte Tina zu: „Sag Gott einfach, was dir auf dem Herzen liegt."

Tina schloss ihre Augen.

„Lieber Gott. Ich möchte so gerne, dass ich dein Kind bin. Ich weiß, ich habe schon manches gemacht, was dir nicht gefallen hat. Aber Jesus ist dafür gestorben. Deshalb vergib mir bitte alles! Ich möchte einfach mit dir leben, so wie es Ruth und Tom tun. Und wie Judith. Amen."

Tina schaute auf. Ruth sah sie mit glänzenden Augen an. „Jetzt sind wir nicht nur

196

menschlich verwandt, sondern auch durch Gott: Wir haben beide den gleichen Vater!"

Tina strahlte. So leicht war ihr schon lange nicht mehr ums Herz gewesen! Sie wusste, nun war alles in Ordnung!

Stürmisch umarmte sie Ruth.

„Ich muss gehen - aber vielen, vielen Dank!"

Schnell lief Tina aus dem Haus. Sie kletterte ins Auto und winkte ihrer Großtante, die wieder am Zaun stand. Auch während Ralf den Motor startete und Gas gab, winkte sie ihr zu. Je weiter der Geländewagen davon fuhr, umso kleiner erschien Ruth. Schließlich konnte sie sie nicht mehr sehen.

Ganz von alleine formte sich ein Gedanke in ihrem Herzen: ‚Danke, lieber Vater im Himmel, dass du bei Ruth bleibst - und gleichzeitig bei mir bist! Ich freue mich darüber.‘

Doch plötzlich riss Tom sie aus ihren Gedanken: „Du hast eine echt nette Großtante!

Und sie gleicht deiner Oma total!"

„Findest du?"

„Ja, als ich sie sah, wusste ich sofort, dass das ihre Schwester sein muss."

Ria nickte begeistert: „Auch die Ähnlichkeit mit dir ist verblüffend. Kein Wunder, dass Oma aus allen Wolken fiel, als sie dich sah!"

Während er an einer roten Ampel abbremste, mischte sich auch Ralf in ihre Unterhaltung. Schmunzelnd meinte er: „Ich glaube, auch eure Eltern, Ria und Frank, werden aus allen Wolken fallen, wenn sie eure Geschichte hören, was ihr die ganze Zeit so erlebt habt."

„Ich hoffe, sie landen weich! Wenn sie von den beiden Gaunern erfahren und von der Gefahr, in der wir schwebten, dann wird Mama uns nie wieder alleine weggehen lassen wollen." Frank verdrehte übertrieben verzweifelt seine Augen, worüber die anderen Kinder lachen mussten.

„Zum Glück ging ja alles gut aus! Wie sagt man immer? ‚Ende gut – alles gut!'"

ENDE

Weitere Kinderbücher von Eleonore Schmitt:

Tom und Tina - Bd. 1 – und die Sturmflut

Kaum sind Tom und Tina im Insel-Internat angekommen, als das Wetter umschlägt und eine Sturmflut heraufzieht. Gleichzeitig verschwindet eine Mitschülerin spurlos. Bei der riskanten Suche nach ihr kommen sie zwei Terroristen in die Quere. Schaffen es die beiden unzertrennlichen Freunde, die geplante Katastrophe zu verhindern?

Tom und Tina - Bd. 2 – Jagd auf Juwelen

Völlig unerwartet machen Tom und Tina die Bekanntschaft mit den Zwillingen Ünal und Nilgün. Gemeinsam erwerben sie einen antiken Zirkuswagen. Als sie mit ihm auf Fahrt gehen, benimmt sich ihre angeheuerte Kutscherin äußerst verdächtig. In welche Machenschaften werden sie da hineingezogen?